国家出版基金项目
NATIONAL PUBLICATION FOUNDATION

齐家

中国共产党人的家风

罗平汉/主编

QIJIA
ZHONGGUO
GONGCHANDANGREN
DE JIAFENG

2019年主题出版重点出版物

广西人民出版社

图书在版编目（CIP）数据

齐家：中国共产党人的家风 / 罗平汉主编 . — 南宁：广西人民出版社，2021.1（2023.10 重印）
ISBN 978-7-219-10829-1

Ⅰ. ①齐… Ⅱ. ①罗… Ⅲ. ①中国共产党—模范共产党员—生平事迹 ②家庭道德—中国—现代 Ⅳ. ① D263 ② B823.1

中国版本图书馆 CIP 数据核字（2020）第 209750 号

策　　划　温六零
执行策划　吴小龙
责任编辑　许晓琰　陈　威　姚龙生
责任校对　覃丽婷　李新楠　蒋倩华
整体设计　刘瑞锋（广大迅风艺术）

出版发行　广西人民出版社
社　　址　广西南宁市桂春路 6 号
邮　　编　530021
印　　刷　广西民族印刷包装集团有限公司
开　　本　787mm × 1092mm　1 / 16
印　　张　17.25
字　　数　220 千字
版　　次　2021 年 1 月　第 1 版
印　　次　2023 年 10 月　第 10 次印刷
书　　号　ISBN 978-7-219-10829-1
定　　价　48. 00 元

序

红色家风，中国共产党人的传家宝

家风，是一种温暖而无声的力量。

“子孙虽愚，诗书须读”“少壮不努力，老大徒伤悲”“静以修身，俭以养德”……这些承载着中华文化，记录着祖辈对子孙立身处世、持家立业的家风家训，千百年来代代相传，对整个中华民族的价值取向和精神追求产生了至深至远的影响，成为中华传统不可或缺的组成部分。

1921年以来，中国共产党接受和坚持马克思主义，继承中华优秀传统文化，孕育出了独特的革命文化和社会主义先进文化。而红色家风，成为一代代优秀共产党人走过艰难困苦，为家人、后世和社会留下的一笔弥足珍贵的精神财富，一个丰富而厚重的传统。没有红色家风，近百年的共产党历史将黯然失色；没有红色家风，今日走向世界舞台中央的中国将步履维艰。它作为一种无言的教育、无形的规约、无声的力量，如春风化雨浸润着共产党人的心灵，塑造着共产党人的品格。

中国共产党人重家教、守家训、正家风，在处理家庭内外关系方面，形成了先“大家”后“小家”，特别是舍“小家”为“大家”的准则和风范。不仅体现出中国共产党人把党、国家和人民的需要置于首位的根本价值取向、终生追求真善美的高尚品格，而且彰显了中国共产党人灵魂深处的信仰力量，成为中国共产党人精神和优良传统的重要组成部分。无论是艰苦卓绝的革命年代，艰难探索的社会主义建设时期，还是在改革开放的时代浪潮里，红色家风始终是一面旗帜、一个标杆、一盏明灯，是引领和激励全体中国共产党人不断奋发有为的强大内生动力。

“将教天下，必定其家，必正其身。”从吴玉章坚定革命的远大志向和信念，“决不会二三其德”，到周恩来“为中华崛起而读书”；从焦裕禄教导子女艰苦朴素，“千万不能搞特殊”，儿子看戏一样交钱，到杨善洲信守诺言：“我们干工作，不是做给上级看的，而是为了人民群众的幸福。”……无数中国共产党人用自己的家风故事教育和感动了后人，他们的家风是全社会乃至中华民族的坚强柱石：这些家风，蕴含着志向远大、终身学习的奋斗之姿，体现出尽孝尽责、严慈相济的家庭氛围，诠释着艰苦朴素、勤劳节俭的持家传统，包含了律己修身、不搞特殊的清廉本色，更充盈着爱党爱国、坚定信念的家国情怀，已成为激励后辈、光照后人的强大精神力量。

红色家风里有志向远大、终身学习的奋斗之姿。“非学无以广才，非志无以成学”，终身学习，一秒不肯松懈，老一辈革命家在这方面树立了榜样。董必武以“人一能之，己十之；人十能之，己百之”作为自己的学习信条，也教育子女“学要有恒，尤要专心”。古稀之年的徐特立制定了“二十年学习和工作计划”，他认真地说：“学问是没有止境的。要活到老，学到老，为人民服务到老。我还要用这有生之年，争取为党、为人民多做一点工作。”共产党人，扣好了人生立志为国为民的“第一粒扣子”，才能行得正；打好了热爱学习、终身学习的价值观基础，才能走得远。

红色家风里有尽孝尽责、严慈相济的家庭氛围。欲治其国，必先治家，面对身边的亲属，中国优秀共产党人对待长辈嘘寒问暖，竭尽所能尽孝道；对待平辈和晚辈，既从严要求，又关怀备至。比如，朱德为深切缅怀“事无巨细，皆躬自纪理无遗绪”的祖母，将家乡各界人士祝寿及吊唁祖母的诗文汇编成册示范后人；他对子女要求严格，一直强调要自力更生，“要接班，不要接官，接班就是接为人民服务的思想和本领”，在日常生活的小事中也不忘叮咛嘱咐。邓小平喜欢买铅笔和橡皮送给孙子们，他对孩子们说：“铅笔是让你们好好学习的，橡皮是让你们明白，错了就要改。”这些共产党人，以高度的责任感和使命感，在代际间传递家庭的关爱与温暖。

红色家风里有艰苦朴素、勤劳节俭的持家传统。“历览前贤国与家，成由勤俭败由奢。”艰苦朴素、勤劳节俭是中华民族的传统美德，也是共产党人向来坚持的优良作风和倡导的家风。方志敏被捕时，身上“唯一的财产”竟是放在深山里的“几套旧的汗褂裤，与几双缝上底的线袜”。焦裕禄跑遍兰考每个角落，靠的是破旧的自行车和一双铁脚板。对于子女他从不放松要求，从小培养他们的劳动观念，要他们时时参加劳动，“不能不劳而获”。此外，无论是陈云使用物品“不能让它们轻易退休”的苛刻，还是黄克诚从不追求个人享受，“能节省一点是一点”，都是这一传统的生动写照。

红色家风里有律己修身、不搞特殊的清廉本色。“一屋不扫，何以扫天下。”在革命岁月，“跟我上”的延安作风打败了“给我上”的西安作风；在建设年代，“任何时候都不搞特殊化”更是那一代共产党人的党性本色。毛泽东倡导“恋亲不为亲徇私，念旧不为旧谋利，济亲不为亲撑腰”的“三原则”。周恩来从严要求、从严律己，他对收养的烈士子女以及亲戚要求高、管束严，立下“十条家规”，教育他们“完全做一个普通人”。谷文昌管理了大半辈子林业，女儿结婚，想让父亲批点木材做家具，他严厉拒绝：“我管林业，如果我做一张桌子，下面就会做几十张几百张，我犯小错误，下面就会犯大错误。”这些共产党人，他们将廉洁和自律看作一种自我约束，更视为一种人格的追求和道德的信仰。

红色家风里有爱党爱国、坚定信念的家国情怀。家国情怀，既是对信仰和理想的坚定执着，也是对祖国和人民的无限热爱，更是把个人、家庭的命运与党和国家的命运紧紧联系在一起的热血和执着。对于中国共产党人而言，家风与中国的前途命运紧密相连。1925年，毛泽东在《政治周报》发刊词中曾明确地说：“为了使中华民族得到解放，为了实现人民的统治，为了使人民得到经济的幸福。”钱学森历经重重阻碍回到中国，用一生践行了“我的事业在中国，我的成就在中国，我的归宿在中国”的诺言。“先天下之忧而忧，后天下之乐而乐”，可以说，爱党爱国是中国共产党人家风中重要的精神标识。

家风好，则族风好、民风好、国风好，良好家风有利于培养人才，不仅惠及家庭家族，也造福社会。不正家风不但影响子女成才、殃及家庭家族，也祸及桑梓。中国共产党人，特别是领导干部的家风对社会风气有着重要影响。习近平指出：“每一位领导干部都要把家风建设摆在重要位置，廉洁修身、廉洁齐家，在管好自己的同时，严格要求配偶、子女和身边工作人员。”领导干部家风的好坏，其亲属在社会上的言行举止，很大程度上反映和影响干部和干部队伍在社会大众心中的形象。对领导干部而言，良好家风既是砥砺品行的“磨刀石”，又是抵御贪腐的无形“防火墙”，在新时代，党员干部要先从搞好家风做起，以正家风带动正党风，为中国共产党人的“赶考”征途继续保驾护航。

历史上，四大文明古国对人类历史产生了深远影响，然而只有中华文明流传至今未曾断裂，这与中国独特的家庭观念、家风文化不无关系。如今，中国正步入人工智能高速发展的时代，社会大众的世界观、人生观、价值观日趋多元化，然而，个人对真善美和美好生活的向往和追求不会变，家庭对个人的成长所具有的无法取代的作用和地位不会变，人们通过不懈奋斗、克服艰难险阻，才能达到理想彼岸的过程和事实不会变。对个人、家庭和社会而言，继续汲取中华传统家风和红色家风的营养，无疑是值得大大提倡的。

“一家仁，一国兴仁；一家让，一国兴让”，红色家风是中国共产党永不褪色的传家宝。传承红色家风的文化基因，不仅是向先贤致敬，更是以家风促社风、正民风，以此，才能惠风和畅、天朗气清，才能永驻“红色”之魂！

目录

第一章 毛泽东：教子严，律己严，持家严

我们共产党的章法，决不能像蒋介石他们一样搞裙带关系，一个人当了官，沾亲带故的人都可以升官发财，如果那样下去，就会脱离群众，就会像蒋介石一样早垮台。现在全国刚解放，人民刚取得政权，我对你们『约法三章』：一不要来京看我，二不要来京找我安排工作，三不要借我的名义找地方政府安排工作。

——毛泽东

在20世纪的世界舞台上，没有哪一位政治领袖像毛泽东那样受到全世界的关注。从他率领红军到达陕北不久的1936年，到他告别他所缔造的中华人民共和国，长眠不起的1976年，从他的朋友到他的敌人，亿万人都关注着毛泽东，关注着这个开创了一个伟大时代，深刻地改变了中国、改写了中国人的命运，并影响了世界的伟人。同时，人们也深切地关注着他的家庭，渴望了解他的家庭生活。

同千百万普通中国家庭一样，毛泽东的家庭，有着美好的情感和操守，也有着酸甜苦辣、坎坎坷坷、悲欢离合，有欢笑，有眼泪，还有难言的苦涩。然而，五千年中国传统文化，20世纪的时代浪潮，共同熏染出了一个革命家庭的独特韵味和风采，中国传统的家国观念、革命时代要求的家国关系，突出体现在毛泽东的家庭中。

作为人民领袖，毛泽东历来重视家风建设，他教子严、律己严、持家严，始终把自己看作人民中的普通一员；他教育家人谦虚谨慎、严于律己、乐于助人、勇于奉献、艰苦朴素、不搞特殊化的良好作风，是身体力行、率先垂范、为民众所称道的平民作风。他的家风，为人们称颂，值得我们学习。

一、艰苦奋斗，生活向下看

毛泽东始终把自己看作是人民中普通的一员。在生活中，他不要求任何特殊待遇，终其一生厉行节约，始终保持着中国农民典型的艰苦朴素作风。

家庭的穷苦生活造就了毛泽东的勤俭节约。他在自述中说："我的父亲是一个贫农，当他年轻的时候，因负债累累，便去投军，他当了一年多的兵。后来他回到我生长的村上，拼命地节省……我七岁起，就在本村一个小学读书，一直到十三岁。每天清早和晚上，我在田里做工。"在革命年代，毛泽东更是在生活上坚持简朴原则，并身体力行。1940年的春节，毛泽东请朱德夫妇到家里来一起吃顿便饭。这时延安的条件差，再加上毛泽东和其他中央领导人伙食都是一样的标准：一天两顿饭，每顿只有两个菜，基本上都是白菜、土豆，还有一点少量的肉。每逢周末，毛泽东总要亲自检查他的伙食账，严格要求炊事员掌握好标准，不得超标。等做好饭后，毛泽东常叫来炊事员问："今日的菜做得很好，是怎么回事啊？我的伙食没有超过标准么？"炊事员如实汇报后，毛泽东连连点头："这就好！"并说："我毛泽东是要带头遵守规定、执行标准的！"其实，毛泽东对于生活始终奉行简单适合的原则。在日常生活方面，毛泽东是个"恋旧"的人，生活用品总是能跟随他很久，即使破旧不堪了，他也不允许工作人员随便丢掉。毛泽东还经常嘱咐工作人员，生活用品需要多少就买多少，不要多买，以免浪费。对于生活用品，他总是利用得"彻彻底底"，因此，毛泽东的生活账中有很多类似修补热水瓶、换锅底、换皮凉鞋底、修理手表等的消费记录。

毛泽东不仅自己勤俭节约，而且还注意培养家庭中勤俭节约的风气。毛泽东深知：吾是无产者，勤俭是吾本。所以，他经常告诫子女，学习和事业要向上看，但生活要向下看。据女儿李敏的回忆，毛泽东经常要求子女们艰苦朴素。中华人民共和国成立后，虽然生活好一些了，但仍要求他们不要讲究穿着，要和老百姓一样，穿得干干净净、整整齐齐就行。不仅如此，毛泽东还对大家庭的生活开支控制得非常严格。工作人员曾为毛泽东制定了一份《首长薪金使用范围、管理办法及计划》，毛泽东在看了这份计划后，认为每天三元的伙食标准太高了，工作人员解释说："这三块钱中还包括招待客人的费用。"毛泽东听后考虑了半天才勉强同意了这份计划。工作人员后来回忆说："毛泽东的学习精神、革命精神、忘我工作和极其简朴的生活作风对我教育是很深的。他并不是没有钱，他有稿费，经常支援帮助同志们，对自己和子女都要求非常严格，一生粗茶淡饭，从没想过享受。他总是把自己的命运同全国人民的命运联系在一起，只要工作，没完没了地要学习要工作。"

二、"国将兴，必贵师而重傅"

尊师重教是中华民族的优良传统。自古就有"天地君亲师"和"一日为师，终身为父"之说。在中国历史上，但凡有作为的政治家、思想家无不重视教育，无不尊重教师。毛泽东继承了这一优良传统，他认为，"国将兴，必贵师而重傅；国将衰，必贱师而轻傅"。在教育事业中，教师尤其重要，对教育事业的影响更是举足轻重，他说：一个学校"最重要的问题，是选择校长教员和规定教育方针"。毛泽东毕业于湖南省立第一师范学校，并担任过专职教师，对教师职业充满了感情。他在为《小学教师》月刊题词时，曾经亲切地说："我做过教师，我对这个职业很有感情，希望你们把它办好。"他经常要求各级政府，要在政治上充分相信教师，依靠教师；从生活上关心教师，改善教师的物质生活待遇。他不但号召全社会要尊师重教，而且自己也身体力行，做全国人民的表率。

毛泽东一直不忘师恩，十分尊敬师长。1959年，毛泽东回到故乡住了两天。在安排会见乡亲的活动中，他看望并宴请了少年上私塾时的启蒙老师毛宇居。毛宇居很喜欢这个学生，曾向其父亲称赞他儿子的读书天资高，劝其坚持送毛泽东多读书。席间，毛泽东在给毛宇居老人敬酒时，老人起身说道："主席敬酒，岂敢岂敢！"毛泽东笑容满面地回答："敬老尊师，应该应该！"然后自己先干了。宴请结束后，毛主席搀扶着毛宇居老师回家。在小道上，他怕老师摔倒，扶着老师走小路中间，自己则走在长满杂草的路边。徐特立在湖南省立第一师范学校当了毛泽东近6年的老师，其高风亮节和治学态度深深地影响着毛泽东。1937年2月1日是徐特立六十大寿之日，毛泽东提前一天写信祝贺，信中亲切地写道："你是我二十年前的先生，你现在仍然是我的先生，你将来必定还是我的先生。"在庆祝大会上，毛泽东又发表了真挚的贺词，说徐老是"我在湖南省立第一师范学校求学时最敬佩的老师"。中华人民共和国成立之初，毛泽东日理万机，但仍特地抽出时间请徐特立来北京做客。他备了几样家乡菜为徐老接风洗尘。吃饭时，徐老对毛泽东说："您是全国人民的主席，应该坐上席。"毛泽东谦和地说："您是主席的老师，一日为师，终身为父。您应该坐上席。"饭后，毛泽东把自己的一件大衣送给徐老，说是以表人子之心。毛泽东的言行处处体现了尊师重教的高尚品德，也成为全国人民学习的榜样。

毛泽东始终如一地重视教育工作。1917年，毛泽东被选为湖南省立第一师范学校学友会总务兼教育研究部部长，他以极大的热情举办了工人夜学。因此学校附近工厂的许多工友都认识他，亲切地称他为"毛先生"。1920年，毛泽东担任湖南省立第一师范学校附属小学主事和湖南省立第一师范学校校友会会长，开办民众夜学，推动了当时湖南的平民教育运动。革命时期，他把教育当作民主革命的一项政治任务，一再强调文化教育对中国革命的历史作用。1944年10月30日，毛泽东在陕甘宁边区文教工作者会议上作了《文化工作中的统一战线》的讲演，强调了文化工作的重要性，着重指出：“我们的工作首先是战争，其次是生产、其次是文化。没有文化的军队是愚蠢的军队，而愚蠢的军队是不能战胜敌人的。”1950年毛泽东为《人民教育》杂志创刊号题词：“恢复和发展人民教育是当前的重要任务之一。”1957年毛泽东在《正确处理人民内部矛盾的问题》中明确指出：过去为旧社会服务的几百万知识分子，现在转到为新社会服务。“我国艰巨的社会主义建设事业，需要尽可能多的知识分子为它服务。凡是真正愿意为社会主义事业服务的知识分子，我们都应当给予信任，根本上改善同他们的关系，帮助他们解决各种必须解决的问题，使他们得以积极地发挥他们的才能。”

毛泽东不仅自己尊师重教，而且还要求自己的孩子要尊重师长。1946年，长子毛岸英从莫斯科回到延安，由于长时间在苏联生活和学习，回来后在待人接物方面发生一些变化，比如平时说话时，有时用欧洲式的说话语气并加些手势动作，这让毛泽东感觉不舒服，毛泽东就告诉儿子说：“延安不是苏联，在这里就得按东方人的传统习惯行事，在长辈面前，在年纪大的人面前，要文静，要规规矩矩地跟人说话，不可手舞足蹈。见了人不要没大没小，年纪大些的就喊伯伯、伯母、叔叔、婶婶，最老的要喊爷爷、奶奶；跟你年纪差不多的可称同志、哥哥，不能随随便便地直呼人家的大名。”不仅如此，为进一步让毛岸英接受教育，毛泽东还让他直接生活在农村，还为他请了一位“农业大学”的“校长”，让他去跟农民同吃、同住、同劳动，直到那位农民“校长”认为满意后才让毛岸英回来。

毛泽东反复教育子女做一名普通人，虚心学习，他在给毛岸英的信中说："一个人无论学什么或作什么，只要有热情，有恒心，不要那种无着落的与人民利益不相符合的个人主义的虚荣心，总是会有进步的。"毛泽东的鞭策成为子女们终生受用不尽的宝贵精神财富。毛岸英一直把自己看作劳动人民的一份子，以具有劳动人民"最忠实、最纯洁、最勤劳、最朴素、最刚强而又善良"的品质而自豪。1970年左右，毛泽东为了锻炼女儿李讷，让她去设在江西井冈山下的中央办公厅"五七干校"劳动。李讷年届三十，仍孑然一身。她要求找一位农民干部结为伴侣，但合适的人不易碰到。后来，她同北戴河管理处当服务员的小徐相爱。李讷提出结婚的申请以后，按照程序要对小徐的情况作调查。很快，毛泽东就作批复，表示同意，并叫警卫员带着他的批文和部分《马克思恩格斯全集》送到江西"五七干校"。这套马恩全集，是父亲送给李讷的唯一的结婚纪念品，她一直珍藏着。回首往事，李讷对父亲毛泽东感激不尽，她说："我觉得父亲给予子女留下的最大财富，就是他对我们的教导，这种精神上的财富是最宝贵的，是我们一生取之不尽、用之不竭的。当年他那样严格要求我，完全是为我好。"

三、"恋亲，不为亲徇私"

毛泽东对待子女的教育，要求脚踏实地。1941年，毛泽东在给儿子的信中明确说道："惟有一事向你们建议，趁着年纪尚轻，多向自然科学学习，少谈些政治……只有科学是真学问，将来用处无穷。人家恭维你抬举你，这有一样好处，就是鼓励你上进；但有一样坏处，就是易长自满之气，得意忘形，有不知脚踏实地、实事求是的危险。"他对女儿李讷的学习也十分关心和重视，并多次给予鼓励和指导。1959年，毛泽东在给李讷的信中讲到读书要实实在在，他说：“要读浅近书，由浅入深，慢慢积累。大部头书少读一点，十年八年渐渐多读，学问就一定可以搞通了。”1963年，他还鼓励李讷：“大有起色，大有壮志雄心，大有自我批评，大有痛苦、伤心，都是极好的。你从此站立起来了。因此我极为念你，为你祝贺。读浅，不急，合群，开朗，多与同学们多谈，交心，学人之长，克己之短，大有可为。”

除了学习，毛泽东还重视子女的道德为人，要求老老实实，不要谋职位、搞特权。1946年2月，毛岸英从莫斯科大学毕业回到延安，毛泽东郑重而严肃地对他说，你在苏联大学毕业了，你学的只是书本知识，只是知识的一半，这是不完全的，你还需要另一所大学，这个大学，过去中国没有，外国也没有，这就是“劳动大学”。后来，毛岸英遵父嘱，背着被子到吴家枣园上“劳动大学”，拜农民为师。中华人民共和国成立之初，儿子毛岸英就悄悄地被安排到政务院工作，毛泽东对此坚决不同意，认为毛岸英不够资格进政务院工作，而应当到农村、工厂、部队去锻炼。还有一次，女儿李讷、侄子毛远新被推选为中共九大代表，毛泽东对此也是坚决不同意。同时，毛泽东要求儿女要尊敬他人，礼貌待人。1960年，儿子毛岸青在大连接受治疗后，毛泽东嘱咐说：“对于帮助你的大连市市委同志，医疗组织各位同志们，一定要表示谢意，他们对你是很关怀的，很尽力的。此信给他们看一看，我向他们表示衷诚的谢意。”

毛泽东非常挂念家乡的亲戚们，但对于非分要求，则坚持原则加以婉拒。有一张浅蓝色的名单陈列在韶山毛泽东遗物展柜里，字迹已有些模糊，但名单上毛泽东的这一行批示，依然清晰可见：“许多人介绍工作，不能办，人们会说话的。”实际情况是这样的：1950年，过去曾多次帮助过毛泽东的表兄文运昌来到北京，给负责接待的秘书田家英开了一个15人的名单，都是毛泽东的亲戚，要求安排工作或保送入学。于是，毛泽东就在名单上作出如此批示，并数次婉拒他提出的解决工作的请求，以至于文运昌责怪他“忘恩负义”。面对家乡的亲戚和朋友给他写信提出请他推荐参加工作等要求，毛泽东对秘书田家英说，处理亲友一般来信原则是：“凡是要求到北京来看我的，现在一律不准来。来了也不见。凡是要求安排工作的，一律谢绝，我这里不介绍，不推荐，不说话。”甚至他给亲友回信直接就说：“我们共产党的章法，决不能像蒋介石他们一样搞裙带关系，一个人当了官，沾亲带故的人都可以升官发财，如果那样下去，就会脱离群众，就会像蒋介石一样早垮台。现在全国刚解放，人民刚取得政权，我对你们‘约法三章’：一不要来京看我，二不要来京找我安排工作，三不要借我的名义找地方政府安排工作。”

其实，毛泽东是一个特别念旧情、念亲情的人，但他坚守三原则：恋亲，不为亲徇私；念旧，不为旧谋利；济亲，不为亲撑腰。毛泽东最牵挂家境贫苦的堂弟毛泽连，但从未为其解决任何私人问题，还嘱咐他“要带个好头”，并连续十年用自己的稿费接济他。晚年患病躺在床上的毛泽东仍惦记着他，吩咐女儿说：“我快不行了，有件事情只好请你们去做，家乡还有两个叔叔，连饭都吃不饱，你们要经常回去看看。”杨开智是毛泽东爱妻杨开慧的胞兄，曾给毛泽东写信，想到北京谋职。毛泽东回信说：“不要有任何奢望，不要来京。”杨开智又托表弟给毛岸英写信，想在长沙“谋一厅长职位”。深刻理解领会父亲初心的毛岸英回了一封长信，其中写道：“新的时代，这种一步登高的‘做官’思想已是极端落后了，而尤以通过我父亲即能‘上任’，更是要不得的想法……毛泽东的子女妻舅之所以不同于蒋介石的子女妻舅，除了其他更基本的原因之外，正在于此。皇亲贵戚仗势发财，少数人统治多数人的时代已经一去不复返了。靠自己的劳动和才能吃饭的时代已经来临了。”

四、做普通人，为人民

在毛泽东所有的家风中，为人民是核心。美国著名记者埃德加·斯诺在谈及毛泽东的人民情怀时说：“他的身上有一种天命的力量。这并不是什么昙花一现的东西，而是一种实实在在的根本活力。你觉得这个人身上不论有什么异乎寻常的地方，都是产生于他对中国人民大众，特别是农民……的迫切要求作了综合和表达，达到了不可思议的程度。”毛泽东的一生，是为人民的一生。不忘人民，与人民同甘苦共患难，谦虚谨慎不骄不躁，夹着尾巴做人，都是毛泽东的重要家风，他不但要求自己全心全意为人民服务，也这么要求家人。

毛泽东生于农村，自幼与农民有较多接触，对贫苦农民怀有真挚而深厚的感情。毛泽东对母亲关心穷人的印象极为深刻。多年以后，他仍旧记得：我的母亲是一个慈祥的妇人，慷慨而仁爱，不论什么都肯施舍。她很怜惜穷人，在荒年，她常常施米给那些跑来乞讨的人。1917年，学生时代的毛泽东，曾用一个月的时间，行程450公里，徒步考察了长沙等五县。他后来回忆说：“我们走遍了这五个县，没有花一个铜板。农民给我们吃的，给我们地方睡觉。所到之处，都受到款待和欢迎。”毛泽东的实际经历培养了他对农民的深厚感情。直到中华人民共和国成立后，他还保持着若干农民生活习性，自豪地称自己是“农民的儿子”。

正因为毛泽东对农民有着深刻的体察和了解，他才立下拯救民族于危难的远大志向。1919年，毛泽东在《〈湘江评论〉创刊宣言》中写道：“时机到了！世界的大潮卷得更急了！”年轻的毛泽东“书生意气，挥斥方遒。指点江山，激扬文字”，既有“问苍茫大地，谁主沉浮”的仰天长问，又有“到中流击水，浪遏飞舟”的浩然壮气。投身革命后，他长期从事农民运动，领导农民进行武装斗争。1925年毛泽东回到家乡韶山从事农民运动。1926年，毛泽东在广州主持农民运动讲习所，组织学生到海丰、韶关等农村搞社会调查。同年，毛泽东回湖南，步行700公里，走访了五个县，做了32天调查，写出了《湖南农民运动考察报告》。毛泽东对于穷苦大众有一种天然的同情。他曾经深情地说：我这个人平时不爱落泪，但有一种情况下流过眼泪，就是我听不得穷苦老百姓的哭声，看到他们受苦，我忍不住要掉泪。有一次，毛泽东带领红军进入贵州，看到一位60多岁的老婆婆和她的小孙子在寒冬里仍穿着补丁摞补丁的单衣，奄奄一息地倒在路旁，毛泽东急忙问发生了什么事，一位红军战士答道："老妈妈说，她家一年收的粮食全被地主抢光了，她儿子前几天也被国民党抓了壮丁。她没有活路，只好和小孙子四处讨吃的。"听到这儿，毛泽东已是热泪盈眶，当即脱下身上的毛线衣，又叫警卫员拿了两袋干粮，连同毛线衣一起送给老婆婆。他蹲下来，亲切地对这位绝望的老人说："老人家，你记住，我们是红军，红军是'干人'（穷人）的队伍。"

毛泽东不仅自己做到关心人民疾苦，他还要求自己的孩子们"做一个普通的人，不要把我挂在你们的嘴边上去唬人"，处处、事事、时时都要"夹着尾巴做人"，这是"第一家庭"立起的"第一军规"。毛泽东对女儿李敏曾一再提到："干部子弟是一大灾难。"这句话曾令她感到困惑。1963年，一辆平板车拉着李敏一家三口的全部家当，来到一所普通民居，李敏开始了真正意义上的民间生活。她的第一课是学会生炉子做饭。一开始，木柴和煤搁不好，一屋子烟，熏得满眼泪水，做饭也不知多少米该放多少水，做出来不是夹生饭就是糊糊的粥饭。正是在这样的家常生活中，李敏终于慢慢领悟到父亲这句话的道理所在："爸爸是怕我们长期生活在这种优越的环境中，会借着父母的地位而飘飘然地忘乎所以；会借着父母的权势而目中无人地自以为了不起；会借着父母的荣誉，什么都不懂却哇啦哇啦地乱发议论。这样的人，小而言之，害了自己；大而言之，害国害民。"1976年，毛泽东的女儿李讷带着年幼的儿子搬到北京西郊一条小胡同居住，生活十分清贫，最艰难的时候，她把心爱的书籍卖给了旧书店。冬天，她顶着寒风和市民们一起排队，买定量供应的大白菜，用木板三轮车拉回家。回首以往父亲对自己的教育，她感激不尽："假如不是那样严格，后来我一个人带着孩子过，恐怕很难过得来。他那是真正的父爱。"

为人民就应该要永远夹着尾巴做人，做人民的公仆和勤务员，而不是高高在上的官老爷、官二代。毛泽东为了人民，教育亲人"一切按规矩办理"，他以身作则，这种家风成为一种精神力量，激励着他的亲人，大弟毛泽民被军阀活活勒死，却不肯改口背弃共产主义，小弟毛泽覃血染红林，温婉柔和的妻子杨开慧在敌人的皮鞭木棍下说"我死不足惜，但愿润之革命早日成功"，还有那在监牢中生下孩子就毅然走向断头台的堂妹毛泽建，年仅19岁却被敌人活埋的侄子毛楚雄……他们为革命英勇献身，他们用鲜血生动诠释了"为人民利益"的家风。而其中，最令人动容的就是新婚才几个月就奔赴战场的儿子毛岸英。毛岸英8岁时就跟着母亲杨开慧被关进国民党的牢房，饱尝艰辛磨难。北京和平解放后，毛岸英和两名扫雷专家带领一个工兵排，首批进入北京，负责排除重要设施、处所的地雷、炸药等，谁都知道这是一个危险性很大的工作，毛泽东却没有阻止。中央作出抗美援朝的决定后，毛岸英立即提出参加志愿军的要求，得到了毛泽东的支持。当时，毛泽东身边有工作人员曾劝说，岸英还是不要去朝鲜参战了，因为他们知道毛泽东已经在革命战争年代失去了五位亲人。这个劝说被毛泽东断然拒绝。

当毛岸英在抗美援朝为国捐躯的消息传来时，悲痛的毛泽东只说了一句："谁让他是毛泽东的儿子！战争嘛，总会有牺牲，这没有什么！"一个多月后，他又对满怀内疚的彭德怀说："打仗总是要死人的嘛！中国人民志愿军已经献出了那么多指战员的生命，他们的牺牲是光荣的。岸英作为无产阶级战士、共产党员，他尽到了自己的责任。你要回去讲，岸英是志愿军的一名普通战士，不要因为是我的儿子，就当成一件大事。哪个战士的血肉之躯不是父母所生？”

毛泽东并非无情，在他逝世后，人们在清点他的遗物时，意外发现一个箱子里有几件毛岸英的遗物：一件棉布衬衣、一顶蓝色军帽、一双灰色纱袜。这几件东西，毛泽东整整保存了26年。这是毛泽东对爱子无尽思念的寄托。

第二章 刘少奇：『为民作勤务，劳怨均不辞』

我们希望你能决心做个进步的、革命的青年，具有远大的共产主义理想，具有雷锋式的平凡而伟大的共产主义精神，能够真正继续承担起革命前辈的革命事业。现在学习要认真、刻苦，热爱劳动，虚心学习别人的优点，关心集体，关心国内外大事，为了人民和集体，可以有所牺牲，并且注意锻炼身体。将来，党和人民需要你做什么，你就可以做好什么工作。

——刘少奇和王光美给刘平平的信

刘少奇，出生于湖南宁乡一个农民家庭，他为党和人民的事业奋斗了一生，在新民主主义革命、社会主义革命和建设时期都作出了重大贡献，为党和人民建立了丰功伟绩，历任党和人民政府、军队的高级领导职务，受到人民衷心的爱戴。

他在《论共产党员的修养》中提出党性锻炼的要求，自己以身作则地实践，坚持和人民同呼吸、共命运。他强调国家主席是人民的勤务员，革命工作没有高低贵贱之分，在任何岗位上都应该全心全意地为人民服务。对于工作中的缺点和错误，他总是从人民的利益出发，勇于纠正，勇于承担责任。在遭受迫害时，他始终保持共产党人的革命信念。

因此，朱德曾用“人山人海里，从容作导师。真理寻求得，平生能坚持。为民作勤务，劳怨均不辞”来描述刘少奇，作为“导师”，刘少奇不仅对他人谆谆教诲，对自己和家人、亲戚更是严格要求。刘少奇教育子女亲人，有两个基本方法：一是管，二是放。管学习，管品德，对培养他们吃苦耐劳精神的事情、使他们经受风雨见世面的事情，都大胆地放手让他们去干，并要求他们始终把自己当作人民的一员。可以说，刘少奇的家风凝聚着老一辈革命家的经验与智慧，充满着革命家庭的亲情和关爱，诠释着中国共产党人的革命信仰和道德风貌，刘少奇因而得到人民的爱戴。

一、“让孩子尝尝吃不饱的滋味”

刘少奇在生活上始终保持着艰苦朴素的作风。家中十几口人的生活开销及接济亲戚等费用支出，全靠夫妇二人的工资，经常捉襟见肘。由于花销大，他平时很注意节省。一日三餐都很简单，就是粗茶淡饭，有时热热剩菜剩饭就算一顿。刘少奇穿着很朴素，在家里穿的普通布衣和布鞋，有的都洗褪了颜色，衬衣总是穿到无法再补了才肯换新的。有一次，他的一件衬衣破了一道很长的口子，警卫员劝他做件新的，他说：“不要紧，再缝一缝，还能穿些时候。”他的床单一用就是十几年，一条围巾用了整整16年。他的上海牌手表，总是坏了就修，一直坚持用到逝世。他每天就是一壶茶，没茶味了，就再续上点茶叶。夫人王光美“总是穿一身蓝色咔叽布衣服，洗得都褪了色”。每当工作人员穿一件新潮衣服，刘少奇都会好奇地看看，笑笑说：“啊，你的衣服比我的高级呀!”保育员杨淑梅回忆说：“少奇同志很清贫，生活非常简朴。”

刘少奇对子女要求极为严格，严禁孩子们生活奢侈，他总是说：“穿衣服也不能脱离群众，让孩子尝尝吃不饱的滋味，有好处!”有一次，女儿刘平平跟随阿姨上街购置衣服，看中了一件40元的虎皮领子大衣并买回家。刘少奇知道这件事后找到阿姨很严肃地谈起此事，嘱咐阿姨一定要把这件大衣退掉，并认真地说：“今后要培养孩子朴素的生活作风，不要娇惯他们。”刘少奇十分注重培养子女艰苦朴素的作风，虽然刘少奇心中对儿女很疼爱，但仍然明确回答说：“群众能住的房子，我们也应该能住。不能因为你是国家主席的女儿，你就可以与众不同，不能有这种思想。现在搞了一点特殊，多得了一些物质上的享受，看起来是占了点便宜，但这是危险的，长期下去，思想就要变，也会站到人民的反面去，成为无益于社会的人。”

刘少奇从不把子女看成自己的“私有财产”，而是把他们看作革命事业的接班人，从不用自己的权力为他们谋私利。1951年春天，在中国人民大学学习的女儿刘爱琴，预备党员期满，准备转正。无论是她自己还是周围的一些同学，都以为会顺利通过，按期转正。但是当党支部就她转正问题征求刘少奇的意见时，他认为女儿对中国的事情还不大懂，向支部的同志明确表示要“严格要求”。支部大会经过热烈而认真的讨论，按照党章规定的标准反复衡量，对刘爱琴进行了批评和帮助，最后通过决议，取消了她的预备党员资格。学校党委批准了支部决定，并通报校内各基层支部。通过这件事，刘爱琴的思想受到巨大震动并主动反思自身存在的问题。1958年国家机关精简机构、下放干部时，刘爱琴主动响应，自愿到内蒙古接受锻炼。刘爱琴下放之后，牢记父亲的教导，严格按照共产党员的标准要求自己，经过扎实的锻炼，在思想政治水平、工作能力、生活表现等各方面都取得了较大进步，终于成了一名光荣的共产党员。儿子刘允若在莫斯科留学期间，因与同学关系不睦，想要转系甚至调换学校。他连续给刘少奇写了几封信，希望得到父亲的帮助和支持。针对儿子的思想问题，刘少奇即刻写了回信，对他进行批评教育，并对儿子提出殷切希望。刘少奇通过耐心的劝诫，指导儿子正确对待批评和处理人际关系，帮助刘允若纠正了错误思想，树立起立志成才、为国争光的坚定信念。

刘少奇对子女从不娇惯，而是让他们在社会上得到历练，经历大风大浪的洗礼，努力在实践中锻炼成才。为了锻炼子女的独立生活能力，刘少奇把三个子女送到学校寄宿。在我国经济困难时期，学校的伙食比较差，细粮少，粗粮多，还要搭配吃些白薯，有时还吃不饱。看到子女的脸色越来越差，有人便对刘少奇夫人说，本来孩子们的身体就不好，再时常吃不饱，这怎么行？还是把他们接回家住吧。但是，刘少奇夫妇都不同意接回孩子，为锻炼孩子的独立能力，刘少奇有意让子女出去闯一闯，见见世面。1965年夏天的一天，刘少奇写了封信，让女儿给她妈妈送去，她妈妈正在河北省新城县高城调研。刘少奇对身边的工作人员说："你们不要给她买车票，不要送她上车站，也不要通知光美同志或县委去车站接她，让她自己买票，自己上车。"尽管女儿从来没出过远门，头一次就一个人出去，大家心里都有些不放心。对于这些顾虑，刘少奇说："小孩子不能什么事情都靠大人，要让她自己闯闯，才能得到锻炼。总靠大人帮助，她倒是舒服省心，可是得不到锻炼，将来还是不会做事情。"当女儿顺利把那封信交到妈妈手中时，自豪感一下涌上了她的心头。

二、"为人民做些有益的事"

一切从人民的利益出发，是刘少奇一生的准则，也是他家风中最鲜明的特点。1942年春夏，刘少奇离开淮海地区来到山东指导工作。有一次住在东海县夏庄村，因为房子小、部队多，刘少奇就住在了老百姓的一间屋子。那屋子右边有个厕所，靠窗口有座石磨。房东经常在半夜三更起来推磨，吵得刘少奇睡不好觉。当身边工作人员为此想要建议房东改换推磨时间时，刘少奇摆摆手坚决不同意，且幽默地说："你们不让老百姓吃饭还行吗?"刘少奇总是这样首先想到群众的方便，与老百姓同甘共苦。

1956年以后，刘少奇出去考察的次数特别多，一年当中差不多有三分之一的时间下到基层去考察研究。每次外出，行前他总是找身边工作人员谈一次话，除了告诉他们准备去的地方、去的目的任务和去后要找什么人调查等事情，就是嘱咐他们到外面不准向人家提要求，接受礼物，还特别强调不要让人家接送。他说："地方上的同志都很忙，不要让人家到车站接送；在那里的活动，一切都听人家的安排。”1959年10月，刘少奇的一些亲戚和以前在他身边工作过的同志来看望他，顺便想请他帮助解决工作或子女升学等问题。当天晚上，刘少奇把大家召集在一起，说：“你们想请我这个国家主席帮忙，以改变自己目前的状况，甚至改变自己的前途。说实话，我要是硬着头皮给你们办这些事，也不是办不成。可是不行呀！我是国家主席不假，但我首先是名共产党员，共产党员应该全心全意为人民服务，不是为个人小家庭服务。我手中有点权也是真的，但这权是党和人民给的，我只能用于维护党和人民的利益。”

刘少奇要求家人多从人民的角度考虑问题，把自身的选择同人民的需求结合起来。刘允斌是刘少奇的长子，在父亲的教导下，聪明、刻苦的他，学业一直非常优秀。1951年，刘允斌被莫斯科大学录取为化学系的研究生，并在四年后获得了副博士学位。作为长子，刘允斌深受父亲的影响，他牢记父亲教诲，在面临人生抉择时，总是把国家和人民的利益摆在第一位。刘允斌先是舍弃多年的研究积累，从化学研究转为国家急需的原子能研究。后来，他又收到父亲的家书说：“祖国和人民等待着你的归来。在个人利益和党的利益发生冲突的时候，我相信你一定能无条件地牺牲个人的利益而服从党和国家利益。”在父亲的鼓励下，他背着简单的行装，在妻儿的哭声中毅然踏上了返回中国的列车。

这样的家风也影响着刘家第三代人。刘维孔是刘少奇的侄孙女，当时一心想要考取大学继续深造，可成绩不够没能考上。刘少奇知道此事后非常关心，专门找到刘维孔谈心，询问她今后的打算。刘维孔说自己想去广州找父亲，在那里继续复习一年，再考一次。对于这样的想法，刘少奇并不赞同，他经过一番沉思之后对刘维孔说道：“你是革命者的后代，应该到人家不想去的地方去，到最困难的地方去。你回家参加农业生产，好不好？”但是刘维孔想上大学的想法非常坚定，根本没有务农的思想准备，对于叔祖父的建议默不作声。刘少奇看出刘维孔的不情愿，便谆谆教导她：“我们应该为人民做些有益的事。外国人说我们贫穷、落后，我们就应有志气，使祖国富强起来。我们这辈人把反动派打垮了，以后建设社会主义、共产主义的责任，就落在你们这一辈人的肩上了。现在，农村要建设社会主义，需要一批有文化的农民。你有文化，应当回家去，立志改变家乡的面貌，做第一代有文化的农民，这是光荣的，一定会记载在历史上。”其实刘少奇哪里会不知道，在那个时期只要能考上大学就能留在城市，过上比农村好得多的生活。可是刘少奇一心为民，尽管内心牵挂，但他仍然希望自己的后辈都能够到人民最需要的地方去工作。他专门嘱咐夫人王光美找了一些有关农业劳动方面的书送给刘维孔。在刘维孔即将离开北京时，刘少奇又是千叮咛万嘱咐，一遍遍地告诉她应该注意什么问题、可能遇到什么困难，提醒她“要当一名好社员”，“不要过早当干部，要尽力帮助老百姓”。

三、“正人先正己，己不正则不正人”

刘少奇十分重视子女世界观的改造，尽量用浅显易懂的语言，让子女理解和接受无产阶级价值观，树立起共产主义的远大理想。

在年轻人成长过程中，往往会遇到如何处理个人利益与集体利益、眼前利益与长远利益的问题。对此，刘少奇告诫子女，个人利益、眼前利益是要照顾的，但在同集体利益、长远利益有矛盾时，就要把眼前的、个人的利益牺牲一些，有时就要吃点亏，这就叫有远见，有理想。为了帮助子女确立无产阶级价值观，刘少奇经常要求子女，“在任何时候、任何问题上都要首先考虑集体的利益，把集体利益摆在前面，把个人愿望、个人利益摆在服从的地位；当个人愿望和个人利益同集体利益发生矛盾时，应该肯于为了集体的利益而牺牲个人的利益”。他在1955年5月写给儿子刘允若的信中就指出：“不要怕自己吃了一点亏，不要去占别人的便宜”“要肯于为大家的事情吃一点亏”。1960年1月，在一次家庭聚会上，当着亲属和子女的面，刘少奇再次指出：人活一辈子总要对社会有所贡献，要贡献多一些才好。在我们社会里，只要有贡献，大家都会看到。占小便宜，吃大亏，这是合乎马列主义、无产阶级世界观的。此外，刘少奇坚持要求家人积极参加劳动。在中南海里，他让家人种植果树，帮厨房煮饭做菜，甚至修建房屋时他还让王光美带领孩子们去工地参加劳动。1958年，刘少奇觉得孩子们长大了，只在院子里劳动还不够，于是要求孩子们暑假时用半天时间复习功课，半天时间去公社同农民一起劳动，并且要像农民一样“不怕热，不怕累，不怕吃苦”。

刘少奇曾在一个孩子的日记本上写了这样一句格言：正人先正己，己不正则不正人。他对子女爱而有教，遇事商量，大事晓之以理，小事循循善诱。20世纪50年代后期到60年代前期，为解决全国日益增多的学生升学难和就业难的问题，刘少奇积极倡导两种劳动制度和两种教育制度，搞半工半读学校。碰巧的是，在他家里也遇到了这个问题。有一年，他的一个儿子初中毕业考高中，报了几个学校都没有被录取，孩子闷闷不乐。这时，身边有的工作人员议论说，国家主席的孩子，还能不上高中吗？只要刘少奇说一句话，问题就解决了。刘少奇听到这些议论后，特意召开家庭会议，刘少奇说：“我们家的孩子也不一定要考高中、上大学。能多受些教育固然好，但是没考上就不能要求别人照顾。国家主席的孩子和工农兵群众的孩子一个样，不能搞特殊。我看，咱们家搞工农兵的都有，也不错嘛！”刘少奇在征求孩子的意见后，决定让孩子上北京市农业技术学校，该校这一年招收的学生是320名，报到的时候只剩下250人，毕业时已经只有80人了，其中高干子弟2人，刘少奇的孩子坚持学习了4年，后来分配到农村工作。

四、“做个进步的革命的青年”

刘少奇非常重视子女的学业，希望孩子们取得进步。1959年5月10日，刘少奇请刘平平和刘源就读的北京第二实验小学的班主任及任课老师到家里做客，商谈孩子的教育问题。刘少奇仔细地询问了老师们的工作和生活情况后说：“平平和源源是我的孩子、你们的学生，中国有句老话说，‘子不教，父之过；教不严，师之惰’，今天请你们来，就是商量如何配合共同教育平平、源源的问题。”刘少奇接着说：“我工作忙，你们召集的家长会议，虽说都是光美去参加的，但我们的意见是一致的。就是希望你们把我的孩子当作你们自己的孩子去严格教育。不要因为是我的孩子，就迁就他们，照顾他们，那样对他们并没有什么好处。教育孩子有个配合问题，家庭、学校和社会要共同承担起教育的责任，要互相紧密配合起来，只有这样，孩子才能沿着正确方向努力，也才能成为对社会有用的人。”刘少奇还向老师问起平平和源源在学校表现，他诚恳地说：“请你们说实话，他们好就是好，差就是差，或者哪方面好，哪方面差。我虽然是他们的家长，可是没你们接触得多，了解得多。”班主任立即回答：“平平和源源在学校里学习很努力，生活俭朴，对老师很尊重，也能团结同学，积极参加各项活动。我们知道你们对孩子要求非常严格，他们有缺点错误时，我们也敢批评，没有顾虑，从不护短。”王光美高兴地说：“这样就好，这样就好。做父母的没有不爱自己的孩子的，但如果溺爱和娇惯，实际上是害他们，是对他们不负责任的表现。”另一位老师补充说：“这两个孩子的勤俭和朴实在全校是出了名的。”刘少奇接过老师的话说：“勤俭是一种美德。不要说现在我们的国家还很穷，就是将来我们的日子好过了，也还要提倡勤俭节约。”

刘少奇希望孩子们具有革命的理想信念，做一个革命青年。1963年春，刘少奇出访东南亚四国，其间，正逢上中学的女儿刘平平14岁生日。5月9日，刘少奇和王光美写信给刘平平，祝贺她生日。刘少奇在信中语重心长地写道："我们希望你在满14岁以后，认真地考虑一下：你到底要做一个什么样的青年?""你应当力争上游，不要安于中游，不要做落后分子和自私分子。""我们希望你能决心做个进步的、革命的青年，具有远大的共产主义理想，具有雷锋式的平凡而伟大的共产主义精神，能够真正继续承担起革命前辈的革命事业。现在学习要认真、刻苦，热爱劳动，虚心学习别人的优点，关心集体，关心国内外大事，为了人民和集体，可以有所牺牲，并且注意锻炼身体。将来，党和人民需要你做什么，你就可以做好什么工作。"还有一次，刘少奇同刘允斌等子女们谈话，教育他们要立大志，自觉地站在时代潮流的前面，他说："只有这样，人的一生才会感到有意义，心情才会舒畅，在困难面前才不会悲观失望，永远保持革命的乐观主义精神。"1964年夏天，刘少奇邀请当年参加过安源罢工的工人代表袁品高来北京欢度五一劳动节，刘少奇在中南海接见了他，并让王光美带着孩子们到他住的地方去看望他，请他给孩子们讲安源工人的斗争故事，进行革命传统教育。袁品高见孩子们穿着打了补丁的衣服，并且听说他们上学不是走路就是骑自行车时，感慨地说："这都是少奇同志言传身教的结果啊!"

刘少奇是一位伟人，也是一名普通的共产党员；他是一家之主，也是子女的慈父，更是他们的严师；他通过言传身教让优良家风得以传承。朱德也曾经用"为民作勤务，劳怨均不辞"来描述刘少奇，认为他的最大特点是：以身作则，为人师表，勤勤恳恳，任劳任怨地生活和工作。刘少奇优良醇厚的家风一直为人称颂，他不仅严以律己，还在生活、思想和社会实践等方面，以共产党员的标准严格要求子女，永葆共产党人的本色。刘少奇的家风凝聚着老一辈革命家的经验与智慧，充满着革命家庭的亲情与关爱，是十分宝贵的精神财富。

第三章　周恩来：位尊不泯济民志，权重不移公仆心

一、晚辈不准丢下工作专程来看望他，只能在出差顺路时来看看；二、来者一律住国务院招待所；三、一律到食堂排队买饭菜，有工作的自己买饭菜票，没工作的由总理代付伙食费；四、看戏以家属身份买票入场，不得用招待券；五、不许请客送礼；六、不许动用公家的汽车；七、凡个人生活上能做的事，不要别人代办；八、生活要艰苦朴素；九、在任何场合都不要说出与总理的关系，不要炫耀自己；十、不谋私利，不搞特殊化。

——周恩来的『十条家规』

1976年1月8日，一颗伟大的心脏停止了跳动，噩耗传来，举国悲痛。这一天，全中国、全世界都为失去了这么一位伟人而感到悲痛和惋惜，人们纷纷用各种不同的方式来悼念他，以表达对他的无限哀思，寄托对他的真挚感情。

周恩来是新中国的开国元勋，一生光明磊落，淡泊名利，严于律己，清正廉洁。他没有自己的子女，没有利用权力为自己或亲朋好友谋取半点私利，身后也没有留下任何个人财产。诚如周恩来侄女周秉德女士所讲述的那样："伯父要求我们要和全国老百姓一样过简朴日子。我们都是在伯父的教导下，一步一个脚印踏踏实实地走过来的。在我们周家兄妹中，我们就是普通老百姓，没有人当大官，没有人经商挣大钱，没有小车子、大宅子。"2018年，习近平总书记在纪念周恩来同志诞辰120周年大会上高度评价周恩来，用了六个"楷模"来表彰他全心全意地献身于中国人民的解放事业和共产主义的伟大事业，尤其表现在严于律己、清正廉洁方面，称得上是共产党人立党为公、执政为民的典范。

一、“为中华之崛起而读书”

周恩来的家族向来是一个和睦的大家庭，他从小就生活在和谐且书香气浓郁的家庭氛围里，深受家庭的影响。

周恩来的父亲周贻能是个读书人，年轻时考中秀才。他话语不多，但作为父亲的慈祥、宽厚、诚实等性格和人品，对周恩来有着较大的影响。童年时期，对周恩来的教育和影响较大的当数其三位母亲，即生母、嗣母和乳母：生母万氏，生性豁达开朗，办事精明干练，能识大体、顾大局；嗣母即小叔母陈氏，性情温和，待人诚挚，在诗文书画上都有较好的造诣，把全部感情和心血都倾注在对过继并一起生活的周恩来的抚养和教育上，使周恩来从梁红玉、文天祥、关天培、岳飞等故事中受到爱国主义、品行操节等方面的教益和启迪；乳母蒋江氏，家境贫寒但为人正直、心地善良，用自己的言行向周恩来传输了劳动人民勤劳善良、诚实朴素的优秀品质。生母和嗣母相继去世后，周恩来的实际抚养人和监护人是八婶母杨氏，她一生恪守“积善积德”的理念，这也在一定程度上影响着少年周恩来。

在旅欧期间，周恩来在一封信中表明自己“当信共产主义原理的心极盛”，这与早年受母亲的熏陶有关。抗日战争胜利后，周恩来在重庆与记者谈及个人与革命的经历时说：“直到今天，我还要感谢母亲（指嗣母陈氏）对我的启发和教育，没有她的爱护，我不会走上好学的道路”“没有她的关心照顾，那我就不能够在事业追求方面培养任何兴趣。”周恩来12岁告别故乡，先后在3所学校就读，无论在哪所学校学习，周恩来的成绩都非常优秀，品行修养皆出类拔萃。周恩来家庭中所传承的品行端正、重视教育、忠诚宽容等良好家风，是周恩来思想和人格形成的重要基础。

在家庭环境的影响下，周恩来认为人生第一要务就是要立志。他说：“故凡同一人类，无论为何种事业，当其动作之始，必筹画其全局，预计其将来，成一（抱无穷之）希望……希望者何？志是也。”无论是“立功异域，封万户侯”的班超，还是“鞠躬尽瘁，死而后已”的诸葛亮，都有着“身为布衣，心忧天下”的远大志向。所以，他觉得立志乃人的一生之关键所在，“若不志乎始，而能成乎终者，则未闻也”。周恩来的乳名为“大鸾”，就寄托着家人期望他像神鸟一样翱翔天空的梦想。1903年，年仅5岁的周恩来就开始使用有“恩自日边来”之意的学名“恩来”，同时取字“翔宇”，进入家塾读书。从乳名“大鸾”到学名“恩来”，再到字“翔宇”，这是一种家庭教育的传承，它带给周恩来一种强烈的社会责任感和使命感。同时，周恩来的性格与志向也与其母亲有着密切的关系。周恩来的母亲性格开朗，见多识广，豁达大度，在内把家里打理得井井有条，在外经常出面调解亲族纠纷。她经常带着周恩来去排解纠纷，其开朗直率的性格、精明果断的处事风格以及化干戈为玉帛的能力对周恩来的成长和志向产生了极大的影响。时隔多年后，周恩来在致朋友的信中谈到确定信仰时，认为自己“天性富于调和性”，与其幼年深受母亲影响有很大的关系。

周恩来少年时期就立下宏伟之志。他说，有的人“志在金钱者”，有的人“志在得官者”，但是他认为：“立志者，当计其大舍其细，则所成之事业，当不至限于一隅，私于个人矣。”一个人必须从大局出发，确立崇高的大志向。1911年，周恩来在沈阳上学。当老师在课上向学生提出“为什么而读书”的问题时，有人回答：“为明礼而读书。”也有人说：“为光耀门楣而读书。”这时，周恩来却站起来，大声回答道：“为中华之崛起而读书！”由此可见，周恩来心中早就萌生了救国图强之志。1917年，19岁的周恩来从南开中学毕业，东渡日本。在临别时刻，他给同学赠言说：“愿相会于中华腾飞世界时。”1921年春，23岁的周恩来在法国巴黎勤工俭学时，加入中国共产党，投身到救国救民的革命洪流中。从此以后，他就把立志和救国紧密地联系起来，并用一生为之奋斗。他说：“我们应该把整个身心放在共产主义事业上，以人民的疾苦为忧，以世界的前途为念。”

周恩来在教育亲属过程中，无不充满着理想志向的教育。1939年3月，周恩来回老家绍兴祭祖时，曾给表弟王贶甫题词留念，并鼓励他要展望未来，满怀信心，为全民族的抗日事业作出贡献。周恩来的题词是：“埋头苦干，只要抗战胜利，定必苦尽甜来！”在祭祖过程中，有一位17岁的表侄王戍引起了他的注意，这位少年说：“我也想去干革命。”周恩来十分欣赏自己侄儿的志向，题词鼓励他：“乘长风破万里浪！冲过钱塘江，收复杭嘉湖！”落款是：“慕向表侄义儿”。

二、“我的修养要则”

自我修养，也就是古人常说的“修身”，是做好一切工作的基础。周恩来严于律己的习惯主要来自少年穷苦的生活和磨难的经历。周恩来10岁时，因嗣母病故，债台高筑，一直靠典当借债度日。不久，父亲又离家去湖北做事，周恩来只好带着两个弟弟迁回老家居住。这时他早已习惯帮忙做事，打理家务，做得井然有序。入学期间，周恩来一方面努力学习，积极参加学校的各种活动，组织社团活动，参加新剧表演，发表演讲；另一方面，由于家庭困难，生活艰难，所以他就经常利用假期和课余时间拼命打工，努力挣一点生活费以补贴家用。

如此一来，周恩来就慢慢形成了严格要求自己，独立自主的习惯。即使受伤住院期间，周恩来也坚持自己能做一定要去做。1939年，周恩来在莫斯科治疗期间，给邓颖超写信说："我的右手写字已经恢复得不错了，只是吃饭、穿衣、拿东西等还是不行，主要原因是右臂的关节动作进度很慢……我想大胆试试，不管它疼不疼，都要使关节多弯曲些才好。"周恩来一生严于律己，对待家中的小事也是如此。1963年，在铁路系统工作的侄女和侄女婿去看望周恩来。因为他们是第一次来，周恩来和邓颖超便约他们一道吃便饭。周恩来的一碗饭吃完了，侄女连忙起来为他添饭，却被谢绝了。他说："让别人添饭？我们周家没这个规矩！"说着，自己用因负伤落下病根、不能随意摆动的手盛饭，并小心翼翼地把撒在桌子上的几颗米粒捡起来放到嘴里。这对于后辈也是无声的教育。

周恩来不仅对自己要求严格，而且高度敬业，对工作极度负责。无论是革命年代，还是建设时期，周恩来都是工作最多的人，也是最忙碌的人。邓小平曾经说过，周恩来"一天的工作时间总超过12小时，有时在16小时以上，一生如此"。此外，周恩来还时常总结工作经验。1943年3月18日，是周恩来45岁生日。这一天，同事们为他准备了茶点祝寿，但他并未出席，而是一个人在办公室写下一份《我的修养要则》，以明心志：一、加紧学习，抓住中心，宁精勿杂，宁专勿多；二、努力工作，要有计划，有重点，有条理；三、习作合一，要注意时间、空间和条件，使之配合适当，要注意检讨和整理，要有发现和创造；四、要与自己的他人的一切不正确的思想意识作原则上坚决的斗争；五、适当地发扬自己的长处，具体地纠正自己的短处；六、永远不与群众隔离，向群众学习，并帮助他们，过集体生活，注意调研，遵守纪律；七、健全自己身体，保持合理的规律生活，这是自我修养的物质基础。这份提纲式的"要则"，看似简单明了，却从自律自省、生活态度、党性修养等方面为自己订下规矩要则，并严格自我约束。

周恩来还时常教育亲属要严格要求自己，以公心为重，坚守岗位。

周恩来的侄女周秉建，响应上山下乡的号召，主动要求到内蒙古插队。后来，当周秉建得知伯父病重的消息，要求进京看望时，周恩来毫不留情地制止说："不要来了，坚守岗位。"同样的，其他晚辈们得知周恩来已患病越来越严重时，一个个心如刀绞，暗自落泪。有人要求他老人家节劳，有人当面提出劝告，还有的人像周秉建提出探望的请求。然而，病重的周恩来始终坚决表示：我为革命工作的日子不多了，要抓紧时间多做工作。周恩来病逝后，邓颖超转述他的最后一句遗言：逝世后，亲友都不要来北京，坚守岗位是最好的悼念。

三、艰苦朴素，过好"生活关"

周恩来从小养成的艰苦朴素品格，终生不渝。即使成为一国之总理，他也没有忘本。在南开中学就读期间，周恩来经常利用假期和课余时间为学校刻蜡纸、油印或抄写讲义以减轻家庭负担。南开中学《同学录》中明确记载：周恩来"家贫，处境最艰，学费时不济，而独能于万苦千难中多才多艺，造成斯绩"。周恩来就是在这样的经历中逐渐形成艰苦朴素的生活品格。

担任总理后，周恩来仍然过着艰苦朴素的生活。他经常说，一定要过好"生活关"："物质生活和精神生活方面，要把整个身心放在共产主义事业上。"我们今天在周恩来故居，就可以看到一件珍贵的遗物，这就是总理故乡人民万口传颂的"百衲巾"。这是一条普通浴巾，周恩来生前用了二十多年，棉绒早已磨平，色泽早就褪尽，对面能透光亮，破损的地方细针密线缝补着大大小小若干个补丁。在周恩来患病住院期间，还把它当枕巾使用。还有一次，周恩来到杭州考察，令人想不到的是，他还随身带着枕巾、棉褥子、床单、被子。其中，被子仍是解放战争时使用的，枕巾则缝缝补补破旧不堪。警卫处的同志趁他不在，换了一条新枕巾，周总理发现后说："我们的国家还不富裕，要保持艰苦奋斗的传统，即使以后富裕了，也不能丢了这个光荣传统。"

在周恩来的日常生活中几乎处处都体现其艰苦朴素的生活作风。1961年春节的一天，周恩来夫妇请几个侄儿来家里吃饭。饭桌上只有三个菜：两个素菜，一个有少量肉丝的荤菜，一碗菜汤。其中少见的那一盘荤菜，还是为了第一次来看望两位老人的侄儿周保章才特地加的。吃饭时，又端上来四个杂粮做的窝窝头。周保章想：自己是年轻人，理应吃粗粮，就伸手去拿。而邓颖超却用筷子将他的手拨开，慈祥地说："这是你伯伯和我的，你是客人，吃米饭吧！"周恩来和邓颖超便微笑着拿起窝窝头啃起来。还有一次，侄儿周保章因公出差到北京，顺便去看望伯父伯母。看到伯母邓颖超戴着老花眼镜在缝被子，心里很不安，暗想："这么大的年纪，工作这么忙，怎么还处理这些家庭琐事？"他连忙找到针线，帮助伯母一起来缝。一条被子竟用细针密线缝补了十四个补丁。

周恩来不仅自己艰苦朴素，而且还时常不忘提醒身边的工作人员和亲属，虽然生活越过越好，但绝不能忘本，不能忘记艰苦朴素。有一年除夕的晚上，周恩来和邓颖超邀请身边的工作人员和几个晚辈吃饭，特意在餐桌上放上了一盘热气腾腾的肉包子和一盆黄澄澄的小米稀饭。邓颖超着重说明了吃这两样食物的意义："今天是除夕，请大家吃小米稀饭和肉包子。为什么呢？因为中国革命是小米加步枪打出来的，不能忘掉小米。为什么吃肉包子？因为共产党、毛主席领导我们推翻三座大山，得到解放，生活好了，才有肉包子吃。"周恩来对此非常高兴，频频点头表示赞同，并带头为这番话鼓掌。为了更有效地培养晚辈艰苦奋斗的品格，周恩来鼓励、动员侄子、侄女们到农村去、到边疆去，到艰苦的环境中去劳动和锻炼。周恩来的侄女周秉建，1968年中学毕业后主动要求到内蒙古插队。周恩来听到这个消息之后，十分高兴，并且鼓励她深入基层，为民服务：“秉建真长大了！我和七妈坚决支持你到内蒙古草原去，希望你沿着与工农相结合的道路永远走下去，和蒙古族人民一起建设好边疆。”

四、十条家规，过好“亲属关”

周恩来和邓颖超一生没有生育自己的子女，但周氏家族是个大家族，周恩来有两个弟弟和好几位堂兄弟，因此他的晚辈亲属很多。即使平时再忙，他对亲属仍是十分爱护与关心，视如己出，但更多的是严格要求，他曾说：我们“都是人民的公仆，应该和群众同甘苦，共命运。如果图享受，怕艰苦，甚至走后门，特殊化，那是会引起群众公愤的。”他多次谆谆教导晚辈：“要过好亲属关，要否定封建的亲属关系，要有自信力和自信心，要不靠关系自奋起，做人生之路的开拓者。”因此，在周恩来的侄辈及第三代的登记表里，都没有找到一个与周恩来有亲属关系的也就不足为奇了。

作为中国这个“大家庭”的公仆，周恩来为了在轻松愉悦的氛围中处理好亲属关系，抓住外地亲属在京的机会，抽空连续给大家开了两次“小家”会议。首先，他主要讲述了自己的出身家庭。先表明自己的家庭是一个封建的没落的官僚家庭，祖父周攀龙是当过淮安府山阳县知县的。随后讲了他从小上私塾，然后到沈阳、天津接受现代教育，再到海外接受马克思主义的教育，逐渐走出封建家庭。其次，周恩来语重心长地要求晚辈要过好“五关”——思想关、政治关、亲属关、社会关和生活关。思想关方面，要树立正确的世界观，如果思想方法不对头，看一切问题都会看不准，甚至颠倒是非。政治关方面，只有立场正确，才能有正确的观点和方法，才能更好地为人民服务。亲属关方面，他说："我们是出身于旧家庭的，我要带领你们向无产阶级投降。"略作停顿，周恩来继续讲道："否定封建的亲属关系，不是消灭他们，而是改造他们，拖着他们跟无产阶级走，把他们改造成新人。"随后，周恩来又给大家阐述了通过社会关和生活关的要求。最后，他再次提醒说："这五关中，一头一尾，思想关和生活关最为重要。"

周恩来"位尊不泯济民志，权重不移公仆心"，严于律己，毫不特殊。他从最亲近的人做起，严格要求邓颖超。1974年筹组四届人大领导班子时，毛泽东曾批准提名邓颖超任全国人大常委会副委员长，却被周恩来暗地里压了下来。直至周恩来去世后，邓颖超于1977年被选为全国人大常委会副委员长时才得知此事。同时，周恩来还一再教导晚辈："千万不要因为自己是国家总理的亲属，而丧失立场、自恃特殊，要丝毫不搞特殊化，自觉抵制各种特权思想的侵蚀。"周恩来甚至对所抚养的烈士子女的要求也很严格，多次叮嘱他们"不能有丝毫的特殊化和优越感"。周恩来有个侄儿叫周尔辉，其父在抗战期间被日本人杀害。1952年，周恩来在周尔辉两次去北京看望后，就把他留下来读书。但是，他并没有把侄儿送到干部子弟学校和其他条件好的重点中学，而是送到条件较差并刚由私立改为公办的二十六中，学生多数是附近的劳动人民子女，并让他吃最普通的每月7元的伙食。周恩来一再叮嘱他："不论是填表或谈话，都不许透出和我的关系，否则人家知道你是总理的侄儿，就会处处照顾你、将就你；你也会产生优越感，那样，你的进步就慢了。"周尔辉记住了伯父的话，对他与周恩来的关系守口如瓶。直到周尔辉上大学后，因表现优异，学校准备发展他入党，在调查家庭出身和社会关系时，才知道他与周恩来的关系。即使是照片这样的细节，周恩来也非常注重，不放松。当亲属们去北京看望周恩来夫妇时，都想跟两位老人家照一张合影，作为永久的纪念。周恩来和邓颖超很理解亲属们的这种心情，尽量满足他们这一愿望，拍张合影。但照片晒出来后，他只给一张，并叮嘱道："给多了，你们就会拿去送人，就会在无形中炫耀自己。只能给一张。"

江苏淮安的周恩来纪念馆中陈列着周恩来与自己的亲属们订立的"十条家规"：一、晚辈不准丢下工作专程来看望他，只能在出差顺路时来看看；二、来者一律住国务院招待所；三、一律到食堂排队买饭菜，有工作的自己买饭菜票，没工作的由总理代付伙食费；四、看戏以家属身份买票入场，不得用招待券；五、不许请客送礼；六、不许动用公家的汽车；七、凡个人生活上能做的事，不要别人代办；八、生活要艰苦朴素；九、在任何场合都不要说出与总理的关系，不要炫耀自己；十、不谋私利，不搞特殊化。这些家规是侄女周秉德根据周恩来平时对他们的教育整理总结出来的，虽然都是一些生活小事，也没有公开写在纸面上，但深深地写进了亲属们的心中。周恩来在对待亲属方面做得非常到位，一方面通过沟通交流，让亲属们自知家教如此，意识到不能谋取私利；另一方面也没有与亲属们产生隔阂，反而让亲人们更加钦佩周恩来，感情越处越深。据侄女周秉德回忆："伯父对亲人的爱，首先就是他对我们要求严格，要求的严格也是一种爱，因为他觉得只有要求严格了，我们才能够健康地成长，才能够正常地成长，才能够有在社会上独立去生活、工作这样一个能力。"

周恩来一生严于律己，廉洁奉公，不仅是党风的楷模、治国的典范，更是治家的榜样。他给亲属们制订了"十条家规"，规范和约束他们的行为，这不仅是周恩来高尚人格的真实写照，更是老一辈无产阶级革命家，通过系统接受马克思主义思想，对照革命战争和社会主义建设经验，融入中国传统文化中优秀价值取向，形成的以爱党爱国、坚定信仰、严守纪律、清正廉洁为内核的“红色家风家规”。周恩来没有给后人留下一砖一瓦、一钱一物，却为后人留下了淡泊名利、无私奉献的家规家风，这是一笔宝贵的精神财富，子孙为之自豪，世人为之敬仰。

第四章　朱德：立德树人，勤俭持家

一是不准搭乘他使用的小汽车，二是不准亲友相求，三是不准讲究吃、喝、住、玩。

——朱德为家人规定的『三不准』

有诗写道：

星火初聚乾坤转，大厦将倾只手拦。百战洗礼浮血海，兵扫六合金瓯完。度大如海胸襟满，志如钢铁利刃寒。红军之父有谁人？元戎英名青史传。

这里的“红军之父”说的就是朱德，一个伟大而光辉的名字。此外，朱德还被尊称为“永远的总司令”“中国军人的伟大导师”……这一个个响亮的头衔，彰显了他在人民军队中不可撼动的崇高地位。然而，朱德又是平凡的。即使身居高位，他依然生活俭朴，保持着普通劳动者的本色。他那高大而淳朴的形象一直活在中国人民的心里，并将永远受到人们的怀念和敬仰。

朱德从小受祖训的教育和引导，受到了良好的家庭熏陶，在几十年革命历程中，朱德也始终重视家庭和家风教育，他曾对子孙们说：“如果一个革命的家庭连自己的后代都管不好，那怎么能教育广大人民群众呢？”从小在朱德身边生活的孙子朱和平曾总结朱德的家风是：立德树人，勤俭持家。他立的家规有三条：一是不准搭乘他使用的小汽车，二是不准亲友相求，三是不准讲究吃、喝、住、玩。

一、“尽儿孙之孝，尽长辈之责”

大家庭的生活环境深深影响个人。朱德出生在一个有十几口人的大家庭中。他的父母一共生下十三个儿女，因为家境贫穷，无法全部养活，只留下了六男二女。他的父亲一生都在家里劳动，从未出过远门，“赋性和厚，为人忠耿，事亲孝，持家勤”。他的母亲出身于贫苦人家，“有着一般农妇的强壮的体力”，性情“贤淑和气”，“从来不发（脾）气，不打人、骂人”。在这样人口众多的大家庭里，她同长辈、叔伯、妯娌都能和睦相处，“她不嫌弃人，爱穷人，给叫化子也要说几句话”。朱德从小便耳濡目染，深受父母和大家庭的熏陶。

朱德从小受到关爱，一生对这个大家庭秉持尽孝尽责之家风。对于祖辈，朱德极其尊敬，深切缅怀。据记载，朱德的祖母“事无巨细，皆躬自纪理无遗绪”，“内治殊谨严，令子侄皆以力事事”，其言行和治家之道深深地影响着朱德。1918年6月，祖母九十寿诞之时，公务缠身的朱德不能回乡拜寿，便邀家乡的各界人士赠诗文以庆祝。不久，祖母去世，朱德怀着思念之情，将吊唁的诗文及之前祝寿之文汇编成《朱母潘太夫人荣哀录》，记录并承继祖母之遗风。

对于父母，朱德始终挂念，竭力尽孝。1919年秋，朱德将全家二十几口人接至泸州居住。1937年，因革命斗争被迫与家人失联十年的朱德，不知家人情况，急切地打听两位母亲（生母与养母）的情况。不久，他从来到华北前线的外甥那得知这些年家里的情况，家人因他参加革命而遭受迫害，所幸两位母亲还在，但生活困苦。朱德对两位母亲十分孝敬，但却无力尽孝心，在万般无奈下，请求前妻“将南溪书籍全卖及产业卖去一部，接济两母千元以内，至少四百元以上的款，以终余年”。之后，他又给同乡好友写信说：“家中有两位母亲，生我养我的均在，均已八十，尚康健。但因年荒，今岁乏食，恐不能度过此年，又不能告贷。我数十年无一钱，即将来亦如是。我以好友关系，向你募二百元中币，请速寄家中。”又说：“此款我亦不能还你，请你作捐助吧！”至1944年2月，生母去世，朱德撰文《回忆我的母亲》，将对母亲的思念、感恩和不舍描写得淋漓尽致。

朱德在敬老的同时，对于后辈，更是关怀备至，尽力扶助。他在1937年9月5日的家信中问道：“理书（朱德二哥之子）、尚书（朱德大哥之子）、宝书（朱德之子朱琦）等在何处？”在9月27日的信中，进一步问到：他们现在还生存否，做什么事，在何处。又在11月6日的信中，他说：“十年来的家中破产、凋零、死亡、流亡、旱灾、兵灾，实不成样子。”朱德对家庭的关心和后辈的关爱跃然纸上。

新中国成立不久，朱德为了报答家乡亲戚的恩情，向一个老家来的亲戚表达了可以出资支持亲族中的小孩来北京上学的心意，以尽长辈之责。朱德说：“到北京是来受教育，所以你要告诉家里人，不要挑岁数大的，要挑在学龄左右的。来了从小学学起，一直到大学，争取能培养出几个真正的人才。”没想到亲戚回去后，准备将亲族中的50多人送到北京。朱德了解情况后非常生气，他写信说：“率五十二人之多，已到渝，再欲来京，是犯极大错误的行动……将族亲都带来，浪费公款，又使他们脱离生养来作寄生生活，是十足的封建思想作祟，我请统战部留下几个小孩，以外全部送回仪陇家乡。”最后，朱德几个兄弟妹妹的儿孙们十几个人，通过亲属和四川省委统战部，陆陆续续送到北京。朱德对这些孙辈们说：“接你们到北京是来读书的，你们还没有为国家和民族做什么贡献，所以也不能享受不该享受的待遇。”孩子们刚来时，头发乱蓬蓬的，衣衫褴褛。朱德夫人康克清帮他们洗头洗澡，并和工作人员一起，到西单商场为每个孩子买了一套新衣服。赵力平说："从那以后，每年我都要陪康妈妈这样采购几次，买春季的、夏季的、秋季的、冬季的衣服，还有鞋子、袜子。反正不论买什么，每个孙辈都得一套，我和康妈妈一人抱一堆。"朱德除了让年纪太小需要大人照顾的，还有两个女孩子，暂时先和他们住一起，就在工作人员的住处找了两间房子，安排了其余的孩子，并要求他们尽快学会自己管理自己。

从乡间出来的孩子，父母们整日忙于生计，哪有时间给孩子进行什么家教，有的连上厕所大小便都不知道。这又忙坏了朱德一家，又得收拾，又得教孩子们各种规矩。在安顿好了这些孩子的食宿之后，又根据朱德的托付，为这些侄孙一一联系好入读的学校。在乡村闲散惯了的孩子，突然进了都市的学堂，深感拘束，也读不进书；难改的乡音，既影响他们听课，也不便与同学交流。所以，他们对学习感到吃力和畏难，总盼着回自家与兄弟姐妹聚在一起纵情嬉闹。朱德对侄孙们的表现，有些生气，他说道：接你们来，是为了学习，做有用之材的，这么畏难、放纵能有什么出息！后来，他就把侄孙们交给警卫部队加以管束调教，以克服散漫旧习，还请来老师，利用周日给孩子们补课，巩固课堂知识，教习普通话。经历了一番调教和补习，这些乡村来的孙辈们，都有了长足的进步。

二、"勤俭办一切事业"

"一粥一饭，当思来之不易；半丝半缕，恒念物力维艰。""居身务其质朴，教子要有义方。”朱德故居和朱德父母故居中的这两个楹联，语出朱柏庐的《朱子家训》，是朱家治理家庭和教育子女的依循，植根深厚，含义精深，意在劝家人要以“修身”“齐家”为宗旨，勤俭持家，安分守己。

每个家庭往往传承着长辈对后辈立身处世、持家立业的一些教诲。朱德深受家庭的教育和影响，同时又对家风进行了传承和创新。朱德的祖父“是一个中国标本式的农民，到八九十岁还非耕田不可，不耕田就会害病，直到临死前不久还在地里劳动”；祖母是家庭的组织者，把十几口人的家庭管理得井井有条。日子虽然贫寒，但全家和和顺顺，尊老爱幼，深受当地群众的称赞和尊敬。朱德的父亲“赋性和厚，为人忠耿，侍亲孝，持家勤”，每天都起早贪黑地在地里干活，朱德从小就受到良好的家庭熏陶。对他影响最深的是母亲，他曾深情地撰文追忆自己的母亲：“母亲是个好劳动。从我能记忆时起，总是天不亮就起床。”“母亲这样整日劳碌着。我到四五岁时就很自然地在旁边帮她的忙，到八九岁时就不但能挑能背，还会种地了。”他还说道：“母亲最大的特点是一生不曾脱离过劳动。母亲生我前一分钟还在灶上煮饭。虽到老年，仍然热爱生产。”1944年，朱德在回忆母亲时深情地说：“母亲那种勤劳俭朴的习惯，母亲那种宽厚仁慈的态度，至今还在我心中留有深刻的印象”，是母亲“教给我生产的知识和革命的意志”，“教给我与困难作斗争的经验”。一生俭朴、热爱劳动的母亲使朱德从小养成了吃苦耐劳的好习惯。

朱德经历过少年时代的贫穷生活，接受过家庭的熏陶，逐渐养成勤俭廉洁的好习惯，一生都保持着艰苦朴素、勤俭节约、吃苦耐劳的优良传统。战争年代，他是普通一兵，是忠厚随和的伙夫头，是朴素浑如田舍翁的老农民。和平时期，他虽然身居高位，但依然克勤克俭，保持着劳动人民的本色。朱德的勤俭节约习惯令人印象极为深刻。曾访问过延安的英国记者根瑟·斯坦因写道："八路军总司令朱德将军，兵士们敬爱那个六十岁的老农民，像父亲一样。"还有一位美国记者约翰·罗德里克深刻地观察到："我首次拜会朱德，是一九四五年在中国西北的延安。作为共产主义军队的总司令，他在'枣园'的生活是极之俭朴的。他当时约六十岁，就好像一位慈祥的祖父一样。他亲切的脸孔，时常挂着笑容，使最怀批评性的访客也会消除敌意和顾虑。"

朱德不仅自己继承了这一良好的家风，而且他还一直要求孩子们艰苦朴素，勤俭节约。他严格控制家庭日常开销，每月的伙食费、水电费、书报费、衣物费、杂支等项目非常细致清楚，就连孩子们添置必要的衣服和用具都要征得他的同意，并一一记账。朱德还要亲自检查这些开支。在他的要求下，孩子们的生活也极其简朴。衣服总是大孩子穿了后再留给小的穿，破了缝缝补补继续穿，鞋子通常是从军队后勤部门买来的战士上缴的旧鞋。而每当孩子们回到家中，朱德都要他们接替服务人员的工作，还经常带孩子们到地里劳动，学习刨地、下种、施肥和管理。他经常对孩子们说："你们是劳动人民的子弟，不热爱劳动，不艰苦奋斗，怎么能够为人民服务呢？"甚至在1963年12月26日，朱德还专门给自己的儿子儿媳题词一句："勤俭建国，勤俭持家，勤俭办一切事业。"

三、"活到老，学到老，还有三分学不到"

学习，是影响朱德一辈子的事情，也是他最为关注的事情。他深知为培养自己，家里节衣缩食送自己走上了学习、改变命运的道路。他常用"革命到老，学习到老，改造到老"的话来鞭策自己，并且强调"不学习就会落后，就不能跟社会一道前进"。

他始终孜孜不倦地学习马列著作和毛泽东的著作，无论工作多么繁重、紧张，学习从不间断。他常对子女说：“马列主义、毛泽东思想是我们的精神食粮，一定要好好学习”，“活到老，学到老，还有三分学不到”。1960年，中共中央号召领导干部学习30本著作，朱德立即带头响应。尽管这些书籍他早已钻研过了，有的还读过多次，但他还是如饥似渴地认真学习。有时甚至在散步时也要带上书，走一会儿就坐下来读一段。从1960年到1966年，他在工作人员的帮助下，记下了10多本读书笔记。对毛泽东的著作，他的学习兴趣更浓。他常说：“共产主义一定会在全世界实现，而毛泽东思想就是指路明灯。”“毛主席著作里写的事，许多都是我亲身经历的，读起来感到特别亲切。”《毛泽东选集》出版后，他先后通读9遍，最后一次通读时，已是88岁高龄。每读一篇文章，他都要在题目下用红笔画下许多标记。

朱德读书勤于思考，善于总结。他善于从书中吸取有用的东西，善于总结他人的理论和思想精髓，再结合实际，将理论加以提炼，作为自己做人做事的借鉴。朱德的三孙子对当年爷爷教他学习书法时的教诲还记忆犹新：“练毛笔字是对人，尤其是对你们年轻人陶冶情操的好方法，可以帮你修身养性。”“你们年轻人要从小养成干一行爱一行、钻一行、干好一行的好习惯。”除了书本学习，朱德还实地到基层去，到群众中去了解情况，调查研究。尽管已是高龄的老人，他还是每年抽出许多时间到全国各地去考察工作。他的足迹遍布了祖国的山山水水，从骄阳似火的海南岛，到寒风凛冽的北大荒；从风沙扑面的茫茫草原，到山清水秀的锦秀江南，到处都是他调查访问的场所。每次考察回来，他都认真地向中央写出调查报告，并提出自己的意见和建议。

朱德言教又身教，不仅用自己的行动为子女树立了认真学习的榜样，而且还循循善诱地教育子女。1950年前后，女儿朱敏还在苏联学习，每次回国度假，朱德总要问有没有学习毛主席著作。由于朱敏从小生活在国外，中文水平较差，朱德就戴上老花镜，让朱敏坐在他身边，教她一字一句地读。他一边读，一边讲解，每讲完一段就问她懂了没有，如发现她哪些地方还未理解，就一遍又一遍地重新讲解，直到她真正弄懂为止。1952年，女儿朱敏结婚时，朱德送给她的礼物也是刚刚出版的《毛泽东选集》。有时他还亲自教导孩子掌握学习的方法，当孙辈逐渐长大，朱德开始教他们读书，不但给孩子们画出学习的篇目，提出思考的问题，而且还指导孩子们写读书笔记。他还时常检查孩子们写的笔记，哪个孩子没有写，他就严肃地批评说："不写，一是怕写不好，丢面子；二是怕艰苦，贪玩。"星期日或节假日，原本是家人亲友团聚的日子，而朱德却将家庭聚会变成学习日，朱德对孩子们说："你们平时都有革命工作，凑到一起很不容易，要利用这个机会交流学习体会。"只要他在家，都是他亲自主持学习，从不间断。他还经常让孙辈们围坐在他面前，让他们轮流领读著作，并让孩子们讲书里的意思，谈自己的体会。

四、"做平凡的普通群众"

朱德平时严格要求亲属，教育后辈要做平凡的普通群众，绝不允许利用自己的地位和声望享受特权。

在朱德看来，干部子女有了特殊化思想，那就是变质的开端。在领导干部子女用车问题上，朱德从不破格，真正做到了公私分明。抗战时期中的一天，朱德和中央其他首长一道去看戏。朱德的孩子朱琦和朱敏也跟着去了。当时党中央专车很少，戏散场后，朱琦走得快，先上了汽车。这时，朱德走过来对他说："你下来，步行回去！"回到杨家岭时，朱德诧异地发现朱琦也在门口站着，便问：“你怎么这么快就回来了？”朱琦回答：“我是站在汽车驾驶室外的踏板上回来的。”朱德生气了，语气中带着愤怒：“你占了警卫战士的位置，那人家只好步行回来了，是吧？你呀，你……”朱德气得在路旁的草丛里来回踱步。待稍稍平静下来后，他耐心地对朱琦说：“你想想，警卫战士的职责，就是要保卫首长的安全嘛。你占了人家的位置，战士不能随车行动，万一路上有情况怎么办？你妨碍了战士们执行公务，知道吗？”“是我错了，爸爸！”朱琦羞愧地低下了头。

其实，不仅对子女这样，朱德对家里的所有人都要求严格，一律不准乘坐公家的汽车工作上学，就连他的夫人都是乘公共汽车去上班。朱德告诫子孙们，躺在老一辈的功劳簿上，就会变成资产阶级的少爷。要求他们不要贪图享乐，要靠勤劳的双手，创造自己的生活。在朱德的教导下，他的子孙们都是在最基层的普通岗位，靠自己勤奋劳动，过着俭朴的生活，并没有因为是朱德的后代而享受特殊的待遇。儿子朱琦从部队转业后，到石家庄工作，先在铁路机务段当练习生，后又成为火车司机。有一次，朱德坐的专列正好是朱琦当司机，朱德便在车厢中与儿子见了一面，并给予鼓励。朱琦始终牢记父亲的教导，勤勤恳恳地工作，在铁路部门一直工作到病逝。

朱德对待其他亲属也是如此。朱德有个侄孙，不太安心在农村工作，曾几次写信请求朱德把他调到北京工作，都被朱德拒绝了。后来这个侄孙参了军，几年后，临近复员时，他又到北京请求朱德帮他在城里找个工作，朱德说：“使不得。回原籍安置是政府的政策，我要带头执行，不能有半点特殊。你在部队入了党，共产党员更应该服从组织纪律。仪陇县天地广阔，需要你，你要愉快地回老家去，由地方组织安排，无论干啥都要干好。”

五、“我要的是革命接班人”

国与家紧密相连，家是国的细胞，家和万事兴，治国先从治家开始。朱德出身贫苦人家，懂得百姓疾苦，一生为国为民。在近70年的革命生涯中，朱德实现了从小我到大我的转变，将个人的命运与国家、民族的命运紧密地结合在一起，始终正道而行。

家国相连，这一思想来源于家庭，朱德曾回忆：1895年的除夕，朱家被迫退佃搬家，当时“我们一家人哭泣着连夜分散，从此我家被迫分两处住下”。家的破裂，让朱德对于美满的家庭生活更加向往。他说：“母亲沉痛的三言两语的诉说以及我亲眼见到的许多不平事实，启发了我幼年时期反抗压迫追求光明的思想”。从此，朱德家庭的变化逐步改变其人生命运，使其走上革命道路，救国救民。正如朱德在《回忆我的母亲》一文中所写的那样：“我用什么方法来报答母亲的深恩呢？我将继续尽忠于我们的民族和人民，尽忠于我们民族和人民的希望——中国共产党，使和母亲同样生活着的人能够过快乐的生活。”于是，朱德早期经历了多次的革命活动，英勇善战，屡立战功，闻名遐迩。后来又毅然抛官弃禄，远涉重洋，义无反顾地踏上了探寻救国救民真理的道路，历经十三载艰辛曲折、百折不挠，终于加入中国共产党，此时他已36岁。正是这种赤诚的爱国情怀、为国为民的精神，使他成为一个伟大的共产主义战士。此后，朱德矢志不移，为中华民族的伟大复兴和中国人民的翻身解放进行了不屈不挠的奋斗。

朱德自己走上革命道路，对于亲属更是注意培养其革命精神。1937年9月，朱德在给亲属的信中写道：“那些希望升官发财之人决不宜来我处，如欲爱国牺牲一切能吃劳苦之人无妨多来。”他还说：“我不能再顾家庭，家庭亦不能再累我革命。”新中国成立后，他一刻也没有放松标准，而是更加严格地要求自己和家人，他经常对孩子们说：要尽到我们的责任，把你们培养成为无产阶级革命事业的接班人！他特别强调：子女后辈们不要接“官”接“权”。1974年，朱德的儿子去世后，有关部门准备把朱德的孙子从青岛调到北京，以便照顾。朱德知道后，极不高兴地说：“我要的是革命接班人，不要孝子贤孙！哪里来的，还应该回哪里去！”同时，朱德赞扬亲属从事革命建设工作。当朱德得知他的二外孙被分配到工厂工作的消息后说：“当工人好啊，就是要当工人农民。不要想当‘官’，要当个好工人。”

朱德的家风，既继承了前辈传统的家风，也在革命和建设的实践中推陈出新，赋予了家风新的内涵。朱德以一个无产阶级革命家的博大胸怀来对待子女的培养和教育，虽然日理万机，但从来不放松对子孙们的教育，时刻关心着他们的成长。1975年3月6日，朱德写下了“革命到底”四个大字，他的夫人康克清说：“这四个大字，既是对他自己为了中国人民的革命事业鞠躬尽瘁、死而后已的一生的总结，也是对我们全家的期望。”曾有人如此赞誉朱德：“朱德同志是老实人。注意深入实际，一贯主张：要实际，不要浮夸，要踏踏实实地把事情办好。他时刻关心群众疾苦，谛听群众的呼声，处处把自己置身于群众之中。他历来是我们党内军内遵守党纪、军纪、国法以及一切公共生活准则的典范。”这不仅对朱德作了一个全面且公正的评价，而且也对其所秉持的家风作了准确的概括。

第五章　邓小平：无私无畏，相亲相爱

对中国的责任，我已经交卷了，就看你们的了。我十六岁时还没有你们的文化水平，没有你们那么多的现代知识，是靠自己学，在实际工作中学，自己锻炼出来的。十六七岁就上台演讲，在法国一待就是五年，那时话都不懂，还不是靠锻炼。你们要学点本事为国家作贡献。大本事没有，小本事、中本事总要靠自己去锻炼。

——邓小平对孙辈们说的话

他“比较公道。他比较有才干，比较能办事”。这是毛泽东对邓小平的评价。邓小平的一生几乎贯穿整个20世纪。他生于清末，童年时见证了学生运动，早年赴欧洲勤工俭学，归国后，他全身心地投入中国共产党领导的争取民族独立和人民解放的革命斗争。他所倡导的“改革开放”及“一国两制”政策理念，改变了20世纪后期的中国，也影响了世界。

在政治上取得巨大成绩的同时，邓小平也是一个热爱生活、热爱家庭的普通人。在邓小平心里，家庭就是给他快乐、使他能充分休息以便更好工作的地方，他非常喜欢这个家，特别爱和家人在一起享受家庭的温情。他指挥过千军万马，但他对描写战争残酷的电影一概不看，“我们问他为什么，他说以前打仗死人太多，所以他特别珍惜和平年代，特别热爱生活”。邓小平爱生活、爱家庭、爱亲人，源自他心中对祖国、对人民的大爱。

一、简单朴素，艰苦奋斗

邓小平的家庭生活非常简单朴素。在四川广安邓小平故居陈列馆中，陈列着邓小平生前穿过的部分衣物，如中山装、军便服、白衬衫、圆口布鞋，考察南方时穿的布夹克等，还陈列着戴了几十年的手表、皮带等物品。“睹物思人”，这些衣物是那样的眼熟，又是那样的简朴。邓小平在衣着方面非常讲究整洁，但也非常简单朴素。他经常穿的那条“的确良”的军裤，上面被烟头烧的小洞依稀可见。很多衣服领子、袖口都有修补过的痕迹。据一位工作人员回忆说，有一次，邓小平在杭州考察，服务员在洗邓小平的衣服时候问他：“这是你的衣服还是首长的衣服?”当得知是邓小平的衣服时，服务员看了好一会儿，叹息道：“我要不是亲眼看到，绝不会相信!”换句话说，邓小平所穿的衣服令人惊讶，不可想象首长的衣服竟然如此普通。

邓小平生活俭朴，还表现在饮食上就是有什么吃什么，从不挑食，从不吃滋补品。作为四川长大的人，邓小平一生的爱好就是川菜，但也仅限于宫保鸡丁、麻辣豆腐这类简单的菜肴。邓小平吃饭简单，多数时间是看着孩子们吃。20世纪60年代初，工作人员担心邓小平和家人一起吃营养不够，提出让他单独吃他却不同意。有时工作人员给邓小平单独炒一个菜，他却分给孩子们，自己一口也不吃。改革开放以后，生活好了起来，邓小平家庭的伙食也改善了一些，一般情况下都是“四菜一汤”，但晚上总有一个固定的“大烩菜”，就是把中午所有剩的菜都烩在一起，热一下尽量吃完。如今已年迈的王合荣，回忆起在邓小平身边工作的日子，仿佛还历历在目。她表示，“在生活上，他从来都没提过要求，每次都是四菜一汤，一般是一个荤菜、一个夹荤菜、两个素菜。都是我们这里准备的一些简单时令菜”。

生活俭朴的邓小平一辈子也没留下什么积蓄，《邓小平文选》等著作出版后，他从来也没有领取过应得的稿费。晚年他和卓琳先后两次以“老共产党员”的名义向“希望工程”捐款。当得知《邓小平文选》有一笔稿费还存放在出版社后，他郑重其事地把家人都召集在一起开会，他说：“虽然钱不多，但是我得捐出去。咱们来研究研究，这点儿钱能干什么，捐到什么地方去。”最后商量的结果是把钱捐给科技和教育事业。

邓小平不仅自己生活要求简单，而且还以身作则，时常教育子女要艰苦奋斗。邓小平在与子女相处时，总是抓住各种机会，用聊天的形式，潜移默化地对他们进行革命传统和艰苦奋斗的教育。王合荣说，1980年7月的那些日子，邓小平是与家人共同在东湖宾馆度过的，和夫人卓琳、子女，还有孙子辈。每次家人围坐在一起吃饭，吃到最后，他和卓琳都会教导孩子们将盘子清空，不要剩饭剩菜。“这给我留下的印象太深了，我们如今提倡的‘光盘行动’，其实在他那里一直就是家规，每每吃饭必执行”。同为工作人员的方思娥对此也有同感，“小平同志每次还教诲我们这些工作人员一定不能浪费”。

二、崇尚阅读，奋发图强

邓小平自己喜爱读书，看马克思、列宁著作及中国历史经典书籍、中外文学名著。因此，夫人卓琳平时很注意收集、借阅邓小平喜爱看的书籍。据说，少年时代的邓小平聪颖过人，书读三遍即能背诵。在莫斯科学习期间，邓小平更是接触到大量的革命理论书籍，这给他后来的革命活动和生活带来了巨大帮助和精神安慰。邓小平看书时不死记硬背，不读死书，而是特别着眼于运用，着眼于解决实际问题进行思考，着眼于用书本知识正确指导新的工作实践。他以读书为一大乐趣，乐此不疲，孜孜不倦。家里订了十多份报纸，他每天“雷打不动”，都要将它们浏览一遍，家人常开玩笑地说他是家里的“信息源”，是各种新消息的“发布官”。邓小平还喜欢看小说，中国现当代文学研究会会长、北京大学教授严家炎在新著《金庸小说论稿》中提到：邓小平很早就阅读金庸小说。卓琳也曾说，邓小平在70年代后期自江西返回北京，就托人从买到一套金庸小说，很喜欢读。1981年邓小平接见金庸时，第一句话就是：“你的小说我是读了的。”

邓小平也很注重子女的教育和学习。在每个学期结束时，邓小平要看一下每个孩子的记分册，对每个孩子的情况，如优点、缺点、性格、特长等，他都要心中有数。女儿邓楠说：“父亲教育我们从来不用说教，不讲大道理，都是潜移默化中。比如管我们学习，就是学期末看你的记分册，而且看老师的评语。对我来讲，为了学期末给他看记分册，我就得努力学习好、表现好。他看一下，大多表扬，但对我们来说为了这一次就得努力，这就是压力。我们家孩子都学习好，包括我们的孩子们，学习也都很好。”女儿邓林身体多病，学习有些困难，曾几度休学。母亲鼓励她说：“要发愤图强。”邓小平却说：“不是要发‘愤’，你不是跟谁生气。你应该奋发图强，自己振奋起来，争取好的成绩。”在这样的带动和鼓励下，孩子们更以邓小平为榜样，更加努力学习。邓小平希望子女们的知识面要扩大，女儿回忆说：“父亲曾经说过，退休后想当一名地理教员，这跟他平常喜欢查看地图、学习地理知识有关。父亲有个习惯，带我们外出时之前，一定要先看地图，再用红线画出出行的路线图。每到一个地方，他都随身带着地图，随时可以准确无误地找到自己的方位，我想，这是他早年戎马生涯留下的生活印记。在父亲的影响下，我们兄弟姐妹的地理学得都很好。”

邓小平学习上非常认真，遇到不认识、不清楚的字词，就要查工具书。孩子们从小要做的一件事就是帮他查字典，这也就潜移默化地培养了孩子们爱查工具书的习惯，从小便学会了拼音，都是在邓小平影响之下形成的。邓小平兴趣广泛，对于体育、艺术、京戏等，他都喜欢，在担任总书记期间，邓小平看过芭蕾舞，听过交响音乐会，看过歌剧、话剧等，只要是有体育比赛，特别是国际比赛，他都要到现场观看。几个孩子从小就跟着他看演出、看比赛，女儿邓林说："父亲平常看各种演出时都带着我们。所以我们家的孩子知识面就比较宽，爱好也比较广泛，什么都能说上来点儿。"

三、"按政策办事，不搞特殊照顾"

邓小平一向是公事公办，一丝不苟，不搞特殊。1951年，作为西南地区主要领导人之一的邓小平，正领导着西南地区人民开展轰轰烈烈的土地改革运动。工作千头万绪，十分繁忙。一天深夜，邓小平办公室的灯光还亮着。只见他端端正正地坐在办公桌前，神态严肃，目光深邃，手握羊毫，一字一句地写着："按政策办事，不搞特殊照顾""一切家产全部分给农民"。广安县委、土改工作队接到邓小平的信后，深受教育，非常感动，立即按邓小平的指示办事：9户农民搬进邓小平旧居居住，正房留下两间做村办公室。

邓小平对夫人卓琳的要求就是："不要到外面工作，不要出风头！"这也成为卓琳一生的准则。卓琳既是邓小平相濡以沫的伴侣，又是共同奋斗的战友。不管是战争年代还是后来进入和平年代，她同许多嫁给领导人的妻子一样，承担了更大的责任，付出了许多牺牲。对此，邓小平的妹妹曾说过："我大嫂这个人，她从来不给我大哥添乱，她不去参政，她就做好她的本职工作，她该做的那份工作。我大嫂那人就是这样，也很守规矩，而且她特别体贴我大哥。”这比千言万语更感人，成为卓琳一生最动人、最素朴、最概要的写照。

邓小平对于自己的兄弟姐妹，也是按规矩办事，认真对待，从不插手工作分派事情。新中国成立初期，邓小平主政大西南，他的弟妹们就来到重庆，满怀希望地请大哥帮忙介绍工作。热情接待之后，邓小平就严肃地对他们说：“共产党的工作从来不白给，组织上首先要进行政历审查，合格了才有资格参加工作，你们应该去考干部学校，考上了就有机会参加革命，没考上就自谋出路吧。”他接着说：“中央、毛主席把西南交给我来主管，西南这一方的规矩是我来拍板制定的，我制定的规矩我首先来破坏，今后如何号令三军？弟妹们，请你们理解大哥。”于是，邓小平的弟妹们认真准备，跟其他人一样，参加考试，分别考上了西南革命大学和西南军政大学，学习结业后，先后走上了工作岗位。

邓小平还有一个弟弟邓蜀平，曾当过国民党广安县政府官员，染上抽大烟的毛病，是当地的一个小地主。重庆解放后不久，邓小平写信叫他来重庆，但他就是不来，邓小平知道后，派人把弟弟从广安武装押送到重庆，邓小平严厉地对他说：“你属于国民党旧职员，但还没有做什么坏事，应该好好地改造思想。首先要紧地是戒掉大烟，老老实实做人。”在大哥的管教下，邓蜀平下决心戒掉了大烟，后又到重庆郊区的农村劳动改造了一年，凭自己的能力，考取了西南革命大学。毕业后分配到贵州省六盘水下面一个偏远的县里工作。邓小平还有一个小舅舅叫淡以兴，一直在广安老家务农。新中国成立后，邓小平虽然没有答应接他出来的要求，但很关心他的生活，每月都要从工资中寄钱给他，直到他终老。1980年，淡以兴的老伴带着初中毕业的孙子淡明华去北京找邓小平“要工作”，结果没有着落。后来，淡明华从部队复员回到广安，四年后广安织布厂招工，才去当了一名普通工人。邓小平的妹夫张仲仁曾回忆说：我从人民大学毕业以后，想去中央办公厅工作。老爷子问我说，他们分你去哪里？我说去国家档案局。他说也可以。后来张仲仁就一直在四川省档案馆工作。邓小平八十寿辰时，各地的兄弟姐妹赶来为他祝寿，邓小平特地手书八个大字赠给弟妹们："实事求是""无私无畏"。

四、尊老爱幼，温馨和睦

在邓小平的大家庭里，年龄最长的是邓小平的继母夏伯根。夏伯根仅比邓小平大五岁，是重庆一个贫苦船工的女儿。1950年，邓小平就把夏伯根和自己的两个妹妹从老家广安接到重庆，1952年又一同到了北京，此后就一直生活在一起，相互照顾。全家人对夏伯根都很尊重，邓小平夫妇和儿女也随孙辈们一道称她为"老祖"。卓琳与邓小平继母夏伯根五十多年融洽的婆媳关系颇为世人称道。卓琳是有着较高学历的知识女性，但她却能几十年如一日尊敬、善待夏伯根，并在邓小平过世后，奉养百岁高龄的夏伯根老人走完最后一段人生，着实难能可贵。

在最困难的时候，为了保护家人，邓小平也尽了自己最大的努力。1969年夏天，处于特殊状态中的邓小平得知儿子邓朴方伤残情况后，亲自致信毛泽东，请求组织上出面帮助解决邓朴方的治疗问题，为此毛泽东和周恩来都作了批示。后来得到通知说，邓朴方将被送到南昌同他们一起生活后，他致信汪东兴说：我们深切地期望，邓朴方能够治好。现在病情既有好转，可继续治疗下去，必能渐见好转。所以，我们恳切希望他能在现在的医院里继续治疗下去。不久，邓小平就照顾邓朴方一事，再次致信汪东兴说：我们上次给你写信，希望邓朴方能够继续治疗，现在既然无法继续治疗，我和卓琳再三考虑，觉得还是把邓朴方接到我们住地，同我们一起生活较好。我们请求组织上派人把邓朴方送到南昌。6月，邓朴方被从北京送到南昌，自此邓小平和家人悉心照看邓朴方。邓小平曾给毛泽东写信：我希望能和子女们靠近一些，特别是两个较小的孩子。我们岁数大了，不免为儿女挂心，希望他们能分配到我工作的附近。这些就是我的一些心事，顺便向主席诉说。

在记录邓小平访问美国的电影纪录片《旋风九日》中，有一幕他在美国肯尼迪中心观看表演后上台亲吻不同肤色儿童的动人场面，解说词说："无论走到哪里，他从不掩饰对孩子的喜爱。"是的，邓小平爱孩子，在国内考察和出国访问是这样，在家中也是这样。邓小平和卓琳的五个子女，除了战争年代寄养在老百姓家中和新中国成立后住校学习外，都是随父母生活长大。此外，还经常有亲属和战友的孩子住在家中。从在江西劳动时起，邓小平家中陆续有了四个孙辈，像接力一样，每个孩子出生不久就被送到邓小平夫妇身边，由他们亲自"照料"。家属和工作人员曾回忆说，无论在什么情况下，压力多大、工作多忙，只要一看到孩子，老人脸上就露出笑容，总是那样慈祥。在《邓小平》画册中有一幅他与孙子孙女坐在家门口台阶上的合影，每个人都是那样地自在开心，邓小平俨然是孩子们中的一员。他喜欢孩子，但不惯纵孩子，希望他们能够学到做事的本领。1992年2月18日，邓小平来到位于上海南京路上的上海第一百货商店文具柜台，借钱买了四包铅笔和四块橡皮，送给孙子们。他对孩子们说，铅笔是让你们好好学习的，橡皮是让你们明白，错了就要改。他还对孙辈们说："你们要学点本事为国家作贡献。大本事没有，小本事、中本事总要靠自己去锻炼。"

尽管邓小平晚年可谓日理万机，但他仍然以自己的努力营造着家庭和睦和谐的气氛。邓小平享受着传统中国人"四世同堂"的福分，上有"老祖"（夏伯根），下有孙子孙女，老老少少十几口人，可谓儿孙满堂，幸福之家。每天晚饭，一大家人聚在一起边吃饭边聊天，从国家大事说到社会新闻。邓小平从不发表意见，只是默默地吃饭。但他喜欢这种轻松活泼、温暖融洽的家庭气氛。有时饭桌上少了几个人，大家说话少了，他就会说："哎呀！今天怎么这么冷冷清清呢？"没看见哪个孙子，他也会关心地问："到哪里去啦？"

中国共产党人为实现共产主义而奋斗，把民族、国家、集体利益看得高于一切，但同样非常重视家庭的作用，注重家庭和睦与幸福。邓小平就是这方面的典范。邓小平是一位伟人，最难能可贵的是他有一颗普通人的平常心。邓小平少小离家，南征北战，但对自己的家庭却是特别地珍惜，对于自己的亲人也总是牵挂在心。他始终把自己作为人民的儿子。在晚年，他希望自己能像普通人一样到处走一走，看一看，希望能有更多的时间在家享受爷孙同饮的天伦之乐。

第六章　陈云：个人名利淡如水，党的事业重如山

不准随便进出他的办公室；不准翻看、接触只供他阅读的文件和材料；不准搭乘他使用的小汽车。

——陈云给亲属子女定下的「三不准」

陈云是深受全党和全国人民尊敬爱戴的老一辈无产阶级革命家，他从小出身贫寒，幼年父母早逝而由舅父母抚养，14岁时因家贫无法上学，到上海商务印书馆当学徒和店员，1925年参加五卅运动并加入中国共产党，后历经中国革命、建设、改革各个历史时期，为党和国家的事业奉献毕生精力。

1985年6月13日，陈云迎来了自己80岁的生日，为此他特意手书"个人名利淡如水，党的利益重如山"的条幅以自勉，这是他晚年练字写得最多的条幅，这两句话不仅是对家人和身边工作人员的告诫，也可以看成是陈云一生的写照。此前家里从来没有为陈云举办祝寿活动，大家知道陈云除了外事活动不参加不主办任何宴会，而这次召集亲朋好友一起吃饭简单庆祝的提议陈云也坚决不同意，最后经过协商，大家决定以拍全家福的方式陪他度过80岁的生日。

纵观陈云一生，他始终保持公仆本色，谦虚谨慎，淡泊名利。在家风建设方面，陈云严于律己，言传身教，对家人子女严格要求，家风醇厚，这在党内有口皆碑，堪称楷模。

一、“浪费和贪污一样都是犯罪”

陈云出生于贫苦农民家庭，从小的艰苦生活使他养成了艰苦朴素、勤俭持家、厉行节约的良好习惯，在平日的生活中，陈云真正做到了“一粥一饭，当思来处不易；半丝半缕，恒念物力维艰”，陈云的女儿陈伟华说：“爸爸的艰苦朴素是出了名的。”

陈云的饮食非常简单，每顿都是粗茶淡饭，中午两菜一汤，菜谱每周一轮，都是一些家常菜，每餐必吃光喝净，不剩一粒饭一口汤，真正做到了节约粮食，艰苦朴素。有一年春节，工作人员到他吃饭的小房间，见仍然是两菜一汤，便对他说：“过节了，加个菜吧！”陈云笑着说：“不用加，我天天过节。”陈云的意思是说，现在的伙食和过去艰苦年代比，就和过节一样。给陈云做饭的厨师开玩笑说：“首长一年到头就吃几样普通的家常菜，我的技术都提高不了。”陈云的信条是只要够吃就行，不能浪费。陈云从不吃奢侈的美味，他说：“鱼翅海参是山珍海味，太贵了，吃不起呀！以前是地主吃的。”

陈云与于若木的“一块钱婚礼”常为人们津津乐道。于若木1919年生于山东济南，1935年参加一二九运动，1936年加入中国共产党，1937年来到延安，那时陈云因工作过于劳累经常流鼻血，组织部就到陕北公学调来于若木给陈云做护理工作，他们逐渐产生感情，陈云对于若木说：“我是个老实人，你也是个老实人，老实人跟老实人在一起能够合得来。”陈云和于若木的关系确定后，为慎重起见，陈云把当时在陕北公学学习的于若木的二哥请来，认真坦诚地讲述了他们相识的经过并郑重地征求其意见，为了表示尊敬，陈云还在街上买来饭菜请于若木的二哥吃了一顿饭，从此以后陈云和于若木相濡以沫，共同经历人生的风风雨雨。1938年春，陈云和于若木结为夫妻，婚礼在中央组织部的一间平房里举办，而婚礼的所有花费只有一块钱。陈云拿出这一块钱买了花生、瓜子和糖果请大家热闹一下，这场简单的婚礼就算完成了。事后陈云结婚的消息传开了，有些同志见到他就说让他请客，陈云当时手上有些积蓄，但是他不愿意摆场面，所以始终还是没有请客。

20世纪90年代的一个除夕夜，当时分管接待工作的上海市委副书记王力平来给陈云拜年，当时陈云正在吃饭，桌上放着两盘菜，一盘豆腐，一盘炒荷兰豆，陈云吃得津津有味，见此情景王力平不禁感慨："这就是我们国家领导人的年夜饭啊！"陈云生活简朴，他经常提醒家人要节约每一滴水每一度电，他喝水时能喝多少就倒多少，从不随意把水倒掉。他用过的旧皮箱，穿过的旧衣服鞋袜，用过的旧毛巾牙刷，用过的旧台历等都不会随便丢掉，按他的话说这些物品"不能让它们轻易退休"。1935年陈云到上海从事党的地下工作，之后又被派到莫斯科直接向共产国际汇报中国红军长征的情况，他上了一趟苏联的轮船，一摸自己的下巴发现胡子长了，想刮一下但是没剃须刀，想下去买又不敢下去，因为上海很多特务都认识他，最后他把钱交给一个苏联船员，请他帮着买了一把剃须刀，从1935年到1995年最后住院，这把剃须刀整整陪伴了陈云60年。

陈云晚年患有青光眼和白内障等眼疾，常换药水，为避免手帕擦拭引起感染，大夫建议他改用消毒棉球擦泪水，陈云认为这太浪费了，要求工作人员把他用过的卫生棉球保存起来，消毒以后改作他用。过了几个月，他还是惦记着浪费的事儿，一定要计算一下他一年用了多少棉球，一共花了多少钱，工作人员统计后告诉他，一个月约用棉球250克，价值七八元，全年花费不超过百元，陈云听后再次要求工作人员一定要把棉球消毒改作他用。他日常使用的毛巾，已经破了四个窟窿但还是不愿轻易扔掉，他常对工作人员说："你们不要把我的'四穿毛巾'换掉。”直到这条毛巾实在是不能再用了才肯替换下来，但陈云仍嘱咐说：“别扔掉，还可以用它来打扫卫生。”

陈云在北京西城区北长街71号有一处老房子，院内有一栋二层小楼，陈云从1949年进北京直到1979年一直住在这里，由于房屋年久失修，经常漏雨，当时机关行政部门提出房子要大修，陈云不同意：“房子大修要花许多钱，只要不漏雨就行了。”后来，后勤部门考虑到房内墙皮脱落很多，走廊和楼梯上铺的地毯已磨得很光，走在上面都感到有点滑，又提出要大修房子，陈云仍不同意，结果又未修成。1976年唐山大地震后，他的办公室南墙被震裂了一条裂缝，后勤部门提出把楼拆掉，在原址上建新楼，陈云还是不同意：“这虽然是老房子，也比老百姓住的房子好，这样好的房子都拆掉建新房，老百姓会骂的，那样我们会脱离群众，影响不好。”这栋老房子在陈云的坚持下连续三次修房未果，然而房子毕竟太旧，已不适合居住了，经再三动员，陈云1979年才搬到中南海居住。刚搬进中南海时，陈云就明确要求房子不要花钱重新装修，后来工作人员发现客厅的窗帘太破旧了，就趁他出差时换了条新的，谁知他回来看到后立即要求把窗帘换回来，此后直到他去世，这所房子还一直保持着原来的面貌。陈云常说：“一件商品到了消费者的手里时，看似很容易。可谁想过，它经过了多少道工序？它用了多少资源和能源？它又让劳动者付出了多少心血？如果我们大家都能处处节约一点，这也是支援了国家建设，浪费和贪污一样都是犯罪。”他还常对家人说：“以前人们好讲我国是一个‘地大物博’的国家，其实我们的‘地’并不大，‘物’也不博，只是我国的人口比别的国家多就是了。我国的资源就这么多，大家都要节省一点用，我们都要当‘孝子’，我们这些现代人要‘孝顺’我们的儿子、孙子，子子孙孙的后代，我们不能吃光、用光，让子孙们‘逃亡’。”

二、亲属子女“三不准”

陈云常说，权力是人民给的，权力必须用于人民，要为人民谋福利，他常告诫家人和身边工作人员：“无论你到哪里工作，都要记住一条，就是公家的钱一分都不能动。国家今天不查，明天不查，早晚都要查的。记住这一条，你就不会犯错误。”在工作生活中陈云给自己定下了不少规矩：不收礼，不请吃；不迎不送，不请不到；不居功，不自恃。陈云始终以高标准高要求来严格要求自己和家人，要求别人做的陈云总是自己先做到，关于不收礼，他说：“很多人送礼是为了有求于我，我若收下，以后决定事情必有偏差。”有人把礼品送到中南海门口，秘书前去请示陈云，陈云的回复都是“拿回去”，陈云曾说过：“只收两个人的礼，毛主席和周总理的，他们两个人无求于我，别人的礼一概不收。”万里的长子万伯翱回忆说：“陈云不收礼不仅在党内人人皆知，而且连许多海外人士和香港同胞都知道。”陈云对公家的东西看得很重，对于公家的东西陈云一点便宜也不占，这体现了老一辈革命家严于律己、廉洁奉公的高风亮节。

不仅如此，早在解放战争时期，时任东北局党组织重要领导职务的陈云就意识到不能利用自己的领导职务为身边的人谋利益，为此他给亲属子女定下了“三不准”原则：不准随便进出他的办公室；不准翻看、接触只供他阅读的文件和材料；不准搭乘他使用的小汽车。对于陈云的“三不准”原则，家人和子女都严格地遵守。陈云从不把国家的机密随便向家人透露，或者把这些事情作为聊天的资料来跟他们讲，他对家人说过：“国家的机密你们不能知道，不该问的就不能问，不该知道的就不能知道，不该看的就不许看。”对此陈云的儿子陈元曾回忆说，父亲的办公桌上都是文件，他不准我们过去看，他也从来不把党内的文件拿出来说什么，我们家一直有纪律，他是非常严格的一个人，我们也不敢乱问。

1944年，陈云调离中央组织部，担任西北财经办事处的副主任，妻子于若木是他的机要秘书。几十年来，陈云和于若木之间形成了一个不成文的规矩，陈云工作上的事不和于若木说，而于若木也不问。在延安时，领导同志来找陈云谈话，于若木没有地方去，只好到院子外面或者山坡上站一会儿，直到谈话结束才回来。大女儿陈伟力在江西照顾陈云时也发生过类似的事情，一次陈云去省里听中央传达文件，迟迟不归，陈伟力十分担心，害怕父亲遇到什么不测。直到天色近黑，陈云才回到家中。陈伟力急着问他出了什么事情，陈云却说现在还不能说，这件事情会传达，但要等到文件规定传达到你这一级的时候，我才能告诉你。过了几天，心情迫切的陈伟力又催促陈云，他还是闭口不提。一直等到文件规定可以传达到陈伟力这一级的时候，陈云才正式告诉她。

在计划经济时代，我国购买商品实行统购统销、定量供应的原则，买东西都需要凭借票证。20世纪60年代初，为了应对我国经济出现的困难局面，主管经济工作的陈云等曾主张搞几种“高价商品”以回笼货币。所谓的高价商品就是指购买这些商品时不再凭票，只要花上比平价商品高上几倍的价格就能买到。高价商品一经推出，就受到市场欢迎。有一次，于若木上街为陈云购置了一床高价毛巾被，结果第二天报纸就登出消息，国家经济已经恢复到一定水平，可以取消高价产品了，即日起所有产品都降为平价产品。看到这个消息的于若木抱怨起陈云没有早点告诉她，陈云却说，我是主管经济的，这属于国家经济机密，我当然不能随便在家里说。

1978年，中央为陈云配备了一辆“红旗”牌轿车以便他从事国务活动时乘坐。他十分喜爱这辆红旗车，但他同时规定，不论是公事还是私事，家里任何人都不允许乘坐这辆红旗车，那个时候于若木在中科院院部的落实政策办公室工作，陈云每天乘轿车工作，而于若木每天却只能骑着一辆天津自行车厂生产的“红旗”牌自行车上下班，从没有搭乘过一次陈云的小汽车，即便是刮风下雨也无例外，可见陈云对家人的严格要求。当看到陈云的红旗车时，于若木还开玩笑地说：“我们家院子里停了两辆红旗车！”后来，于若木骑车时被人撞倒导致脚面骨折，从此陈云再也不让于若木骑车了，将自行车交给了二女儿陈伟华，这辆车陈伟华骑了十几年，直到这辆车实在骑不了才“退休”。

三、以普通劳动者自居，不搞特殊化

陈云对子女严格要求，从不溺爱，在他看来，孩子既是家庭成员，也是革命队伍的一分子，不论是对于自家儿女还是其他烈士遗孤，陈云从不用手中权力为子女谋取任何私利，反而经常教诲他们淡泊名利、甘于奉献，于若木曾经说过：“我们家的家风有一个特点，就是以普通劳动者自居，以普通的机关干部要求自己，不搞特殊化。”陈云在给老战友孩子的回信中也特别强调，“千万不可以革命功臣的子弟自居”“革命党人的行动仅仅是为人民服务，决不想有任何酬报，谁要想有酬报，谁就没有当共产党员的资格”“我与你父亲既不是功臣，你们更不是功臣子弟，这一点你们要切记切记”。陈伟力上学时陈云就教育她：“上学跟在家里不一样，那是个集体，有很多同学，而且这些同学来自不同的家庭，出身都不一样，有的孩子甚至可能很穷苦。你到这个环境以后，绝对不许提父亲是谁，更不能觉得自己比别人优越，你没有什么可以骄傲的，你是你，我是我。”

1959年陈云因身体原因去杭州和苏州休养，于若木陪了他一年多，陈云对于若木说，你陪我期间不能拿工资，但是于若木的工作单位还是帮她把工资存了起来，后来于若木回到单位后将这些工资全数退还。在子女的教育方面陈云更是如此，“文化大革命”期间陈云被下放到江西南昌，当时陈云身边没有一个亲人，大女儿陈伟力向单位请假去照顾他，陈云对陈伟力说：你来照顾我期间不能拿工资，你将来要把工资退还给公家，国家发给你工资是让你给国家做事，这段时间你没给国家做事，就不应该拿工资。陈伟力回到单位后按照父亲的要求把工资退还给了单位，单位的财务部门还给她开了一张收据。

1968年，只有18岁的小女儿陈伟兰从解放军艺术学院毕业后被分配到了西藏，当时有人给陈伟兰出主意，你可以试试让你父亲跟领导同志打个招呼，这样你就可以不去西藏了，于是伟兰回家向陈云表达了这个意思，结果陈云严肃地告诉她：我不能给你讲这个话，别人都能去，你也应该能去。虽然陈云是如此劝导女儿的，但作为父亲怎么能不担心牵挂心爱的女儿，陈伟兰要走的那一天，全家人都来送陈伟兰，陈云自己却站在楼道里没有出来，只是在陈伟兰出门前叮嘱，再大的困难也不要害怕，别人能干的你也能干。

1977年，全国恢复高考的消息传来，已在怀柔郊区当了十年教师的陈伟华兴奋不已，但此时距离考试只有两个月的时间，自己没有复习资料也无人指导，着急的陈伟华就给母亲写了一封信，在信中陈伟华表达了自己小小的要求：听说母亲的朋友在大学工作，所以想请这位老师给自己辅导辅导。母亲很快回信了，谁知道信里面说，你父亲说这叫走后门，不允许找老师帮助辅导。陈伟华明白了父亲的用意，转而自己埋头学习，最终凭借自己的努力考上了北京师范大学历史系，并在大学毕业后分配到国家机关工作，之后由于国家需要，相关部门想请师范学校毕业的陈伟华重新回到教育战线。陈云知道这件事后，特意通过秘书向陈伟华转达了自己也希望陈伟华回到教育战线工作的意见，在慎重考虑了父亲的建议后，陈伟华作出了一个在旁人看来颇为意外的决定：1985

年，已是国家机关副处级干部的陈伟兰自愿放弃机关工作，选择回到母校北京师范大学附属实验中学当一名人民教师。当陈伟华将自己重回讲台的消息告诉陈云以后，陈云特别高兴地说道：“我举双手赞成!”

1983年春节，陈云惦记着革命烈士的后人，特邀请瞿秋白、蔡和森、罗亦农、赵世炎、张太雷、郭亮等烈士的子女到他的住处聚会，其间讲了一段意味深长的话：“你们是革命的后代，是党的儿女。你们应该像自己的父辈那样，处处从党的利益出发，为了维护党的利益，不惜牺牲自己的一切。你们中间有的是科学技术人员，有的是新闻工作者，有的是教师，有的是干部，都在不同的岗位为党和人民工作着。我看到你们健康成长，非常高兴。现在，党和国家的形势都很好，你们要和周围的同志一道，爱护这个好的形势，发展这个好的形势，为把我国建设得更加富强，继续贡献自己的力量。”这是一个老革命家对后代的谆谆叮嘱，也凝聚着一位长者对后生晚辈的殷切期望。

陈云曾说过：“希望所有党的高级领导人员，在教育好子女的问题上，给全党带好头，决不允许他们依仗亲属关系，谋权谋利，成为特殊人物。”他是这样说的，也是这样做的，公私分明、严于律己、淡泊名利，陈云的品格风范深深地影响着陈家人，陈云经常告诫自己的子女：“做人要正直、正派，无论到哪里，都要遵守当地的规矩和纪律；答应别人的事，一定要说到做到，如果情况有变化，要如实告诉人家。这些事看起来很细小，却要这样做。你们若是在外面表现不好，那就是我的问题了。”改革开放后，有些领导干部的子女利用特殊身份经商的现象比较突出，陈云深刻认识到这个问题不可小觑，关乎党的作风和形象，他鲜明地指出，要作出明确的决定制止，“不然的话，发展下去，党的肌体、党群关系必将受到损害，有所好转的党风也会受到影响。改革也难以顺利进行。”

四、读好书，做好人

陈云从小出身贫寒，虽然只上过小学，但他对学习看得非常重，一生热爱学习，勤奋学习，善于学习。早在延安担任中央组织部部长的时候，陈云就把学习作为重要工作来抓，他在中央组织部内组织学习小组，重点学习马列经典和毛主席的著作，一坚持就是五年。“文化大革命”期间陈云被下放到江西，走的时候他带了五箱行李，其中三个箱子就是马克思、恩格斯、斯大林、毛泽东、鲁迅的著作，来到江西之后，陈云每天都利用空闲时间阅读这些著作，他把手上这些著作通读一遍后又进行精读，每当孩子们来探望他的时候，他就同孩子们分享自己读书学习的体会，在五个子女的回忆里，陈云在江西下放那段最艰难的岁月仍然在坚持学习，陈云给子女讲得最多的就是要子女们认真读马列的书，读毛主席著作，学好哲学。

陈云不仅自己热爱学习，也指导和帮助家人学习，读书学习之风是陈云家风的一大特色。陈云和于若木在延安刚刚结婚时，陈云就用三个晚上给于若木讲党史，从大革命失败后的盲动主义讲到向忠发、顾顺章的叛变，从第五次反“围剿”讲到毛泽东对党和红军的挽救……新郎官讲得兴致盎然，新娘子也听得津津有味，“陈云洞房上党课”一时被传为佳话。“文化大革命”时于若木被隔离审查，那个时候组织上每个月给于若木发放20元的生活费，即便这样，于若木每个月仍然会从这不多的生活费中拿出5元钱来订阅《人民日报》，坚持学习和关心国内外大势。

“读好书，做好人”是陈云对子女们真诚朴实的愿望。有一次，陈元悄悄走到父亲的办公室看起了《参考消息》，坐在办公桌前的陈云刚开始不明白儿子在干什么，当他发现陈元在认真阅读学习的时候，他什么也没有说，给了儿子一个鼓励的眼神，从此以后陈元只要有时间就会去父亲的办公室看《参考消息》，之后在一封信中陈云还特别表扬了陈元坚持看《参考消息》的事情。不仅如此，陈元受父亲的影响，初中时便开始阅读马克思主义的相关著作，到了高中和大学时又通读《资本论》。女儿陈伟华在“文化大革命”期间曾写信给陈云表示自己想学习马克思主义，希望父亲给予指导和帮助，陈云给陈伟华回信，教他学习马克思主义的方法是，要她先看《人民日报》和《参考消息》以了解国内外时势，再看《中国近代史》和《世界革命史》以增强历史知识，然后从马克思主义经典著作中选择几本重点书如《共产党宣言》《社会主义从空想到科学的发展》等，后来陈伟华果然按照父亲的指导实施了以上几个步骤，认真学习马克思主义。

除了鼓励孩子们养成阅读习惯，陈云还特别重视阅读和学习的方法，引导孩子们正确地学习。陈云就曾经告诫儿子陈方要学会锻炼自己的思维方式，他建议陈方看新闻报道的时候要预想出事件未来的变化，随后再跟踪事件的发展，最后就可以将最初的判断和实际发生的情况做对比。在陈云看来，这样可以锻炼思维方式，对一个人如何考虑问题、认识问题是非常有帮助的。还有一次，陈云带着小女儿学《毛泽东选集》，一边读，一边讲，讲着讲着就从沙发上站起来，扭起秧歌，他说：“你看扭秧歌是往前走两步，往后退一步，学习的过程也要进进退退，退退进进，只有这样，才能把学习搞扎实，如果进得太快，就不能真正地学懂。”陈云对孩子们说，你们读马克思著作读不进去的时候，可以换成《毛泽东选集》，因为毛泽东著作写的是中国人自己的事情，比较容易懂，而且你多少有一点知识，毛泽东在教学方法上始终贯穿着辩证法。

陈云本人十分重视学习哲学，他认为读哲学是人一生最重要的学习内容，只有掌握了好的思想方法和工作方法，才能够做好事情。陈云认为对过去的事情大家都会有结论，但对未来的事情如何分析，就要用哲学思想来指导。陈云还说：“毛主席之所以能够把中国革命搞成功，其中一个特别重要的原因，也是毛主席非常高明的地方，就是他用哲学思想培养了一代人。我们这些老干部感谢毛主席，想念毛主席，尊重毛主席，根子也在这儿。”陈云热心组织家庭学习小组，他希望通过这种形式，形成一种学习风气，更长远的是希望孩子们能够培养出自学的能力，有正确的思维方法，能够发现问题解决问题，提高工作能力。陈云在练毛笔字时多次写到这样一句话：“不唯上、不唯书、只唯实，交换、比较、反复。”有一次他仔细端详完这幅字后，余兴未了，用手挠着头，若有所思地对工作人员说：“这是我在延安的时候，研究了毛主席起草的文件和电报之后得来的体会。‘不唯上、不唯书、只唯实’是唯物论，‘交换、比较、反复’是辩证法，合起来就是唯物辩证法。”而在平时的工作生活中，对于“不唯上、不唯书、只唯实，交换、比较、反复”这十五字诀，陈云说了一辈子，也做了一辈子，陈云去世后，这十五字诀也镌刻在他的墓碑上。

通过陈云的家风故事，我们能真切地感受到陈云作为伟大的无产阶级革命家，始终保持情与理、公与私的高度统一，他高度自觉自律，不为亲情放弃原则，重情重义但不损害公家利益。陈云对子女从不溺爱，不以权为子女谋取任何私利，经常教育他们要淡泊名利，甘于奉献。作为一名共产党员，陈云着眼于党风和作风建设，从党风建设的高度来认识家风建设的重要性。品读陈云的家风故事让人感慨良多，只有家风正、家风清、家风严，才能党风正、党风清、党风严，才能形成风清气正、和谐向上的社会氛围和精神风尚，陈云作为老一辈无产阶级革命家率先垂范，家风醇厚，家教严正，堪称楷模。

第七章 彭真：本真为人见风骨，革命家风继世长

我一生无憾，我们要愉快地告别，你们要继续奋斗。

——彭真给家人最后的话

彭真原名傅懋恭，年轻时因为参加革命工作用过许多化名，之后多次以“炜实”为名在党内刊物上发表文章，1937年到延安后改名为“彭真”，身边工作人员多次问他的名字的由来和含义，他始终笑而不答。原来彭真的母亲姓魏，“炜”与“魏”谐音，有“光明”之意，彭真的外祖母姓彭，这与他所用姓氏不无关系，“彭真”寓意本真为人，一生追求和坚持真理。名如其人，人如其名，在彭真七十多年的革命生涯中，无论遇到什么困难和挫折，他都保持乐观主义精神，对党的事业充满必胜的信心，而彭真教子育人的方式方法和治家理念，以及他本真为人、立党为公的革命家风，值得我们每个家庭学习。

一、尊重劳动和劳动人民

彭真从小生长在山西省曲沃县侄上村，那时彭真一家住在侄上村西沟的破旧窑洞里，艰难地维持生计。彭真有兄弟姐妹共八人，他居长，有两个弟弟、五个妹妹。彭真的母亲魏桂枝是一个地道的农民，为了度过饥荒，彭真的母亲怀孕七八个月时还要上山摘酸枣，有时要在山上的破庙里过夜。酸枣晒干后碾成细末，再掺上糠，做成枣面糠饼充饥。

由于家境贫寒，当同龄人还只懂得玩耍的时候，彭真六七岁就开始随父亲下地劳动，白天随父亲下田学种庄稼，给菜园子锄草浇水，农闲空隙就背个大篮子拾柴火，那时候穷人家烧不起煤炭，柴火就成了不可缺少的燃料。到了秋天彭真就把田间地头别人不要的玉米秆、高粱秆、棉花秆捡到一起，捆起来背回家。到了冬天彭真就到河滩山头割蒿草，刨树根，折枯枝，有时一天往家里背几趟，家里的柴火堆得像小山一样，奶奶夸奖说："以后拾柴禾沉着点儿，再拾咱院里就放不下啦！咱家缺吃少穿，就是有柴，都快成'柴主'了！"彭真七岁时就跟奶奶和母亲学纺棉花，九岁时就能跟大人们一样坐到纺车前纺绵花，大人一晚上纺一斤，他纺半斤，当时镇上开了一家织棉毯厂，工厂把棉花预先借给穷人，纺好棉线后收回再付给加工费，彭真家也与许多穷人家一样从棉毯厂借回棉花挣些加工费维持生活，少年的彭真就是在这样艰苦劳作的环境中长大，过着普通的农民生活，这就养成了彭真尊重劳动和劳动人民的习惯。

彭真的一生始终没有忘记自己是一个农民的儿子，彭真曾多次对子女讲，自己从小由于生活所迫，很早就成了家里的主要劳动力，这就使彭真从小养成了尊重劳动、尊重劳动人民的意识。这样的意识也深深地融入到彭真对子女的教育中。在彭真四个子女的印象中，小时候家里的生活虽然过得不差，但彭真夫妇一直要求孩子们在吃和穿的方面跟同学们一样，而且参加劳动一定不能怕苦怕累。其子傅洋回忆说，上初中时学校组织他们跟随清洁队去掏大粪，近一米高的粪桶需要单肩背起，他们这些十四五岁的初中生哪里参加过这样的劳动？粪桶背在肩上摇摇晃晃的，粪便时不时溅出来灌进脖领，心中能没有想法吗？但傅洋和同学们都坚持了下来。傅洋上高一时，学校组织他们去公社参加劳动，傅洋所在的小组住在一个老乡家的空房子里，晚上睡觉在地上垫点稻草铺条褥子，又凉又潮，几天下来大家还被跳蚤蚊虫咬出一身的包，劳动结束后傅洋回家见到父母，虽然彭真夫妇对孩子有些心疼，但更多的是骄傲，那几天只要家里一来客人，彭真夫妇就将傅洋的袖子、裤腿撸起来展示孩子身上的“劳动勋章”，夸奖孩子热爱劳动，不怕苦不怕累。

彭真夫妇鼓励孩子们从小就尊重劳动和参加劳动，也因此锻炼了孩子们的意志，帮助孩子们度过了人生中的难关。“文化大革命”中，彭真夫妇身陷囹圄，几个孩子也四处离散，大儿子傅锐从部队被安排到农场种水稻，又被强制复员当了钳工；女儿傅彦在被批斗后去农村生活了十一年；二儿子傅洋先当农民再当民办教师又当学徒；小儿子傅亮则被陷害监禁四年，后又到工厂当学徒。彭真的子女回忆那段艰难岁月，认为正是父母注重从小培养孩子们尊重劳动、尊重劳动人民的意识，才使得他们经受住了艰苦生活的考验，傅彦说过：“我们从来没有觉得跟别人有什么不一样。他自己也是，周末带我们出去，要么就是看麦子去了，要么就是看工厂去了，然后到了地里，往土地上坐一坐，就和基层干部群众聊天座谈。所以我们这些孩子，包括第三代，都觉得自己是个普通人，这是他给我们留下的最宝贵的东西。”

二、革命夫妻，伉俪情深

张洁清1912年出生在河北省一个官僚地主家庭，兄弟姐妹共有十人，张洁清在家中排行第二。张洁清与彭真最初相识是在1935年，那时彭真刚刚从国民党的监狱里释放出来，住在北平的大义社，由于革命工作的需要，彭真当时化名“魏先生”，当时与彭真有工作联系的是张洁清的姑姑张秀岩，为了不引起敌人的注意，姑姑常常让张洁清担任交通员，于是张洁清开始与彭真有了初步的接触，不久彭真离开大义社来到延安，而张洁清继续留在国民党统治区从事地下工作。

1939年，张洁清来到晋察冀党校进行学习，在这里她竟然遇到了几年未见的“魏先生”，此时“魏先生”已改名彭真，是中共中央北方分局书记和晋察冀分局书记，同时兼任晋察冀党校校长。再一次的相逢让彭真感到十分意外，几年前那个小小通讯员现在已经变成才貌出众、温文尔雅的女学员，彭真很快便被张洁清特有的魅力深深吸引，坦率地向她表露了自己的心思，原本就对彭真怀有敬慕之意的张洁清接受了这份真挚的感情。有一次，张洁清得了疟疾并且发高烧，彭真看到被疾病折磨的张洁清后心疼地说：“搬到我这儿来，咱们结婚吧，让我来照顾你。”一句简单质朴的话深深打动了张洁清的心，病中的张洁清就这样做了新娘，躺在担架上的她被抬进了洞房。婚后，组织上安排张洁清到晋察冀中央局机关秘书处工作，每天除了完成自己的那份工作，还要照顾彭真的生活起居，她常常帮助彭真整理文件抄写材料，在接下来几十年的夫妻生活中，张洁清把爱情和革命相结合，把对彭真的感情与照顾当成是对革命的忠诚，对此张洁清无怨无悔。

1940年冬，敌人的又一次大“扫荡”开始了，此时的张洁清已身怀六甲，而彭真正好去了延安。晋察冀中央局的同志把一些病人和女同志组织起来进行反“扫荡”，就要临产的张洁清也挺着大肚子出现在反“扫荡”的队伍里。部队有一天来到盂县，张洁清突然觉得肚子阵痛，还没从分娩的痛苦和疲惫中缓过来日军就来了，当地老百姓和民兵自己的家人还没有安排转移，就先抬起张洁清上了山，刚刚生完孩子的张洁清蜷曲在临时扎起的一副又短又小的担架上，前面山路崎岖陡峭，后面敌人步步紧逼，张洁清被老乡们抬着艰难地行进在弯曲的山路上。为了减轻老百姓的负担，她不顾大家的劝阻，将盖在身上的棉被扔掉了，之后张洁清落下了永远无法痊愈的腰腿疼，严重的关节炎伴随着她一生。

1949年，中华人民共和国成立，彭真担任北京市市委书记，以张洁清的资历与能力，本可以安排好一点的工作和职务，但考虑到北京刚解放，一切秩序还未正常，好多情况还很复杂，她服从组织安排，成为一名秘书，后又成为彭真的专职秘书和办公室副主任。1964年张洁清当选全国人大代表，但只当了一届就退出来了，在这点上他们夫妻心有默契。1988年，身为全国人大常委会委员长的彭真为推进中国干部年轻化进程，坚决辞去一切职务，成为“公民一个，共产党员一名”，其实在更多的时间里，张洁清更是“公民一个，共产党员一名”，在丈夫工作顺利的时候她静居身后，在丈夫受到挫折的时候她挺身而出，无论顺境逆境她都始终保持着从容与平和。

“文化大革命”结束后，张洁清担任陕西省商洛地区行署副专员，彭真除了照顾妻子的生活，还主动帮助她起草讲话稿、看文件、摘文件，成了妻子的私人秘书和“贤内助”。1978年底彭真再任领导岗位，工作的繁忙程度不亚于从前，此时的张洁清用她那纤弱的身体全力支持彭真的工作，使彭真深受感动，彭真不止一次地对家人说：“撒切尔是个女强人，我们共产党也有女强人，洁清就是一个。”

三、刚毅坚强，铁骨柔情

彭真1923年加入中国共产主义青年团，同年加入中国共产党直到1997年去世，他为党和人民工作了75个年头，在这75年的漫长岁月中，就有将近20个年头被限制人身自由。彭真这些颇具传奇的经历造就了他坚强不屈的性格，从中体现了彭真本真为人、一生求真的铮铮铁骨，但铮铮铁骨也有柔情似水的一面，浸润着彭真的家教和家风。

彭真在革命斗争中坚定刚强是出了名的，关于彭真在国民党监狱里的斗争故事也广为流传。1929年，彭真由于叛徒出卖而被捕入狱，在国民党牢狱中被关了六年，他先后被关押在河北省第三监狱和陆军监狱，在狱中彭真领导“政治犯”同狱方进行斗争，又被转押到北平河北第二监狱。为改变监狱对“政治犯”的非人待遇，彭真多次团结狱友坚持绝食斗争，在一次绝食中狱方强行撬开他的牙齿灌食，但他坚持不退缩，二十天后终于取得斗争胜利。在监狱中彭真患上了肺结核，这在当时几乎是绝症，那时聂荣臻每个月派人给彭真送两瓶鱼肝油，彭真凭着自己顽强的毅力和这些鱼肝油，硬是从疾病中挺了过来。

作为铮铮铁骨革命者的彭真，其实也有自己柔情似水、心细如发的一面，在儿女们的记忆里，彭真仅有的几次对妻子张洁清发火，是因为彭真嫌张洁清因为要照顾他而没有好好休息，而当儿女们要远行的时候，彭真偶尔会叫他们过来吻一下额头，弄得儿女们都有点不好意思。男儿有泪不轻弹，只是未到伤心处。1992年彭真生了一场大病，四次下了病危通知，中央领导同志四次来告别，最后彭真竟然又挺过来了，当时傅彦正好也要住院做甲状腺手术，等到傅彦出院之后，有人告诉傅彦那一次彭真掉眼泪了，之前傅彦还没见过父亲掉眼泪，可是那一次彭真却含泪跟医生说：“我可就这么一个女儿呀！”同样，傅彦对于父亲彭真也是父女情深，就在父亲最后一次住院的时候，傅彦在父亲身边照顾守候了整整75天，这75天傅彦在父亲的病床边日夜守候，几乎没有离开过他的病床，累了就趴在病房睡一会，那个时候离家近，最多回家洗个澡，然后又到医院继续守候。就在彭真弥留之际，医生甚至都跟傅彦说老人家已经没有知觉了，但是傅彦说不对，那时他还有一只眼睛能动，傅彦知道父亲爱听京戏，于是就把一个小录音机搁在父亲不能动的眼睛那边，这边有京戏的声音，他就开始往这边找，后来他的两只眼睛都能动了，到了最后只有傅彦叫他才睁开眼睛，别人叫都不行。

张洁清同彭真一样也有一颗坚强刚毅的心，她坚持与彭真共同进退。在彭真病重时，他把妻子和孩子们叫到病榻前，两位老人紧紧地握着双手，彭真说：“我一生无憾，我们要愉快地告别，你们要继续奋斗。”孩子们已经泣不成声，张洁清眼角里也噙着泪水，但神情中却依然充满着刚毅坚强。只有饱经风霜的共产党人才有如此广阔的胸襟，只有无私无畏的革命家庭才会有这样壮烈的情怀，也只有铮铮铁骨的革命先辈才会有如此温馨感人的家风，父亲逝世后傅彦在《哀思父亲彭真》中深情写道：“您曾两次入狱，前后长达15年！人的一生能有几个15年啊！您在狱中的坚定、乐观，对真理的执着和对干部群众的以身相护，都深深地震撼着我。”

四、坚定共产主义信仰

作为马克思主义者，彭真注重教导子女们要树立坚定的共产主义信仰，在思想方法和思维方式方面，坚持用辩证唯物主义和历史唯物主义的世界观和方法论去看问题和解决问题，对于彭真来说，这从来不是简单地说教。

彭真自从青年时期就接受了马克思主义，认准只有马克思主义才能揭示人类社会发展的客观规律并且救中国。在彭真七十多年的革命生涯中，他始终孜孜不倦地学习马克思主义，对共产主义理想坚贞不渝，他决心要走的这条“历史自己的道路”是“中国唯一的道路”，在革命时期这条道路就是推翻帝国主义、封建主义和官僚资本主义“三座大山”，为什么把“三座大山”确定为中国革命的敌人呢？彭真1949年在华北大学的一次讲话提纲中指出：“为什么他们是敌人？要打倒他们？因为他们束缚中国社会生产力的发展，甚至破坏生产力，使中国贫困，使中国衰弱。”投身革命的目的就是要打倒束缚和阻碍中国生产力发展的帝国主义、封建主义和官僚资本主义，从而推动社会生产力向前发展，使广大劳动人民得温饱并最终走向共同富裕，这是他用唯物史观分析中国社会现状之后选择的必由之路。

1962年，时任中共中央书记处书记的彭真对首都高校应届毕业的大学生作过热情洋溢的讲话，在谈到如何选择人生的方向和道路问题时，他不赞成仅仅根据个人的主观愿望去选择，而认为选择人生的方向和道路应该有客观标准，第一是历史发展的必然规律，第二是人民的要求和利益，中国共产党是中国无产阶级的先锋队，是中国人民利益的实际代表者，历史已经证明并将继续证明，只有中国共产党代表着历史发展的方向和中国人民的利益，这是历史的结论，他希望同学们坚决跟共产党走，全心全意为人民服务，为社会主义服务。这篇充满激情的演讲激励着许许多多学子的青春豪情，引导着无数青年对未来和人生的探索。

在“文化大革命”长达九年的牢狱生活中，彭真仔细研读马列经典和毛泽东著作，在牢里他想尽一切办法保持身体健康，保持精神振奋，他最大的秘诀就是“根本不去想自己的事，只想大事”，监狱中没有纸和笔，他就把女儿送来的画报和牙粉袋撕成窄窄的纸条，嚼烂米饭粒贴在书上标出重点，几年内他用这种方式标出重点的书竟有三十多本。1975年出狱后彭真被安置在陕西商县一处偏僻的地方，身处逆境的他一如既往坚持理论学习，用钢笔在自制的小本子上写下密密麻麻的读书笔记，凭着顽强的毅力和坚忍不拔的精神，凭着对共产主义的坚定信仰，彭真一家相信“文化大革命”只是历史的短暂一刻，社会发展进步的光明总有一天会到来，有了这样的认识以及对于光明美好的向往，彭真一家虽然四处流散，但是他们没有被这段艰难岁月打倒，最后迎来全家人的新生。

在家庭教育中，彭真经常会给孩子讲一些历史故事和文学故事，引导他们树立唯物史观。傅洋回忆说，彭真很喜欢京剧《打渔杀家》，他一方面非常赞赏剧中萧恩父女绝不向邪恶势力低头的斗争精神，另一方面他认为剧中的反派结局揭示了中外反动派都是“纸老虎”的本质。傅亮还会经常提起父亲在“文化大革命”中在中央党校作报告时的一段小插曲，有一次彭真在作报告时突然停电了，几分钟以后灯光才重新亮起来，彭真拿起一张听众递上来的条子，里面问到彭真如何看待他在“文化大革命”中的遭遇，彭真说“文化大革命”就像刚才停电一样，只是短暂的一刻，已经过去了，全场掌声雷动。

彭真还经常引导儿女们学习马列主义的经典和毛主席的著作，并与儿女们一起阅读和谈论这些著作，其中包括《反杜林论》《家庭、私有制和国家的起源》《路德维希·费尔巴哈和德国古典哲学的终结》《自然辩证法》《矛盾论》《实践论》《中国革命战争的战略问题》等，彭真是一名真正的马克思主义者，他一直强调马克思主义的立场、观点和方法是我们解决中国革命和建设问题最有力的武器，他耳提面命、循循善诱地对儿女们讲解马列主义经典和毛泽东著作的精妙之处，帮助儿女们树立辩证唯物主义和历史唯物主义的世界观和方法论，这使儿女们受益终身。

1997年4月26日，彭真在妻子的凝视和儿女们的千呼万唤中，带着无限的眷恋离开了他的亲人们，离开了他为之奋斗终身的事业，在晚年他曾坦然地说：“我一生无憾。”彭真的一生是革命光辉的一生，他为中国人民的解放和新中国的诞生，为社会主义革命和建设事业，为最终实现共产主义顽强奋斗，建树了不可磨灭的历史功勋。彭真自己讲过两句非常有名的话，“在真理面前人人平等”“在法律面前人人平等”，他这一生为了坚持“真理”“平等”而作出了巨大的牺牲，同时也作过很多的努力和斗争。纵观彭真一生的奋斗历程，他从普通的贫苦农民到全国人民代表大会常务委员会委员长的经历，他那浸润着求真务实的品性风格的家庭教育和革命家风，对于致力追求人生价值和良好家风的后来人不无启迪借鉴意义。彭真留给他的子孙后代的精神财富是巨大的：他自始至终的劳动人民本色；他对父母、对祖辈的孝顺，对人民的热爱，对祖国的深情，对党的忠诚，对真理的追求，对妻子的忠贞，对子女的严格要求，以及他生命不息、学习不止的坚强意志和坚韧毅力等。这些品质既是他们家庭的精神财富，也是全社会的精神财富！

第八章　任弼时：『骆驼』精神传承，『三怕』家风传家

一怕工作少，二怕麻烦人，三怕花钱多。

——任弼时成为传家宝的『三怕』

中国共产党老一代革命家，无不任劳任怨，一生为党和革命无私奉献，为中华人民共和国的成立和社会主义建设事业做出了卓越贡献。被称为党和人民的“骆驼”的任弼时就是其中的典范。

任老出生于湖南汨罗的书香世家，传统的家国情怀和开明的家庭氛围铸就了他一生高尚的品质。童年懵懂时，他爱国、勤劳、自立、自振的思想火花粲然于笔端；青春年少时，他在忧国忧民的困惑中不懈追求富国强民的出路；在异国他乡，他孜孜不倦地汲取革命的理论经验；在革命路上，他三十年如一日地埋头工作，不计地位、名声，不顾严重病情……他把一生奉献给了党和人民的事业。一个人的自然生命是有尽头的，但任老以实际的言行凝铸成的革命精神，是永垂不朽的。就像叶剑英元帅所礼赞的那样：“他是我们党的骆驼，中国人民的骆驼，担负着沉重的担子，走着漫长的艰苦的道路，没有休息，没有享受，没有个人的任何计较。”任老的“骆驼”精神始终传承不朽！

革命的家庭孕育革命的家风。任老一生勤勤恳恳为革命，全心全意为人民，把一生无私地奉献给了人民革命事业，也把这种革命精神和优良传统传承给了后辈子孙。他那为人们所熟知的“三怕”——“一怕工作少，二怕麻烦人，三怕花钱多”，不仅广为流传，也被当作他们家的“传家宝”，在后辈中代代相传。

一、乌鸟私情，舐犊情深

孝顺父母，友爱兄弟，家人相亲相爱，这是中华传统家庭美德的集中体现。作为老一辈无产阶级革命家的楷模，于国而言，任弼时是党和人民的“骆驼”，于家而言，他是一位尽职尽责的儿子、丈夫和父亲。在一纸家书中，他用真情传递真情，在字里行间倾诉着自己的爱，传递着家人的爱，串起了家人之间的感情，谱写了“乌鸟私情，舐犊情深”的优良家风。

“儿行千里母担忧”，对于远离家乡，为人民事业奔波的革命者而言，最难割舍的是对家的眷恋。1921年，当年少的任弼时准备启程北上，追寻那光明的前途道路时，给父亲寄去了一封家书，表露了自己喜得家书的欢欣，倾诉了不能陪伴在侧尽孝的无奈。对于无法常伴父母，为双亲分承家庭负担，他始终心怀不安。漂泊在外的游子在家书中向父母许诺：“自后儿当努力前图，必使双亲稍得休闲度日，方足遂我一生之愿。”然而，社会险恶，前路漫漫，他身为有志青年，又怎能只顾自己的小家呢。他毅然写道：“现今社会存亡生死，亦全赖我辈青年，将来造成大福家世界，同天共乐，此亦我辈青年人的希望和责任，达此便算成功。”对于父母，唯有祝愿他们健康长寿，“来日当可得览大同世界”。涓涓文字，写不尽对家的思念，写不尽对父母的爱。任弼时始终铭记父母的教诲，时刻惦念家中的长辈。作为远离家乡的游子，他在工作间隙总是会和家里通信，告知自己的近况，问候家中的双亲，在看似寻常的笔触中，流露出对父母的爱与孝。

孝顺父母，不仅是物质的给予，更是精神的支持。早在任弼时小时候，他就常常做一些自己力所能及的事情，为父母亲分忧。在他八九岁的时候，便主动要求帮母亲做饭，由于自己不会洗米，就让母亲晚上把米先洗好，第二天早上在母亲起床之前，他就把饭早早煮好了。小学毕业以后，他要去九十里外的长沙上中学，当时年仅十岁的他，自己背着包袱，跟在父亲后面一路走着去上学。由于天热路长，他的脚底被磨起了泡，走起路来很痛。但是，为了不让父亲知道后心里难过，他忍住痛，一声不响，一直跟着父亲走到学校。些许日常小事，彰显的却是任弼时对父母的一片孝心。

任老不仅自己孝顺父母，还把这种孝之家风传承给后辈，培养孩子们对父母的爱与孝。由于革命和治病的缘故，任老有时候与妻子陈琮英不在一处，他常常叮嘱在妻子身边的儿女要关心、照顾好母亲。1948年，陈琮英到晋绥解放区去动手术，任老就在给大女儿任远志的家书中告诉她："妈妈东去开刀，望你好些招扶（原文如此，疑为方言）她。"中华人民共和国成立后，任老因身体原因在苏联治病，几个孩子也要上学，就只剩下妻子一个人在家。为了不让妻子感到寂寞，他在给女儿们的信中，就要求孩子们争取星期日能回家看看母亲，不要使她感觉太寂寞，他说："你们星期天回来，自然也会给她很大的安慰。"

任老的言传身教和万般嘱咐，让爱与孝在他们的家庭中不断传承。还在延安的时候，大女儿远志就为父亲的病痛而担忧，尽可能做一些力所能及之事，为父亲减轻病痛。任老有严重的高血压，工作一累就满脸充血，头痛脑胀。这时候，远志就和妹妹一起帮他按摩头部。由于长时间跪在土炕上，她的膝盖痛得不行，但是她从来不吭一声，一定要等父亲说"大女儿，我好些了，你休息吧！"才肯放手。当任老独自在苏联治病时，远志不仅自己常常写信问候父亲的病情，还请在苏联读书的妹妹远芳经常给父亲写信，并在条件允许的时候去看看父亲，帮他排遣寂寞。在假期里，她也大都待在家里，陪伴着母亲，给担心父亲病情的母亲以安慰，减少母亲的寂寞。正是这些日常生活的琐碎小事，体现了任老家庭的孝之家风，令中华传统家庭美德在他们身上闪耀出更灿烂的光芒。

对父母，任老的爱更多的是孝；对妻子，他的爱则更为深刻，更为隽永。任老和妻子是所谓的“娃娃亲”。他的父亲在原配过世以后，为了纪念亡妻，按照指腹为婚的旧习俗，约定倘若生下男孩就和岳家的侄女陈琮英结成姻亲，以维持亲戚旧谊。就这样，任老刚出生就注定了与妻子的一世情缘。在革命战争年代，他们经历了各种艰难，经受了各种折磨，但他们始终患难与共，相濡以沫，共同渡过种种难关。在国民党统治区工作期间，任老每天晚上工作到很晚才回家，有时甚至工作到天亮，妻子每次都等着给他开门。不忍心看到妻子辛苦的他，总不让妻子帮他弄饭，常常自己喝点白开水就算了。长征途中，过草地时，陈琮英正好生产，当时部队没什么吃的，产后虚弱的陈琮英只能以草为食。心疼妻子的任老就和朱德一起去钓鱼给妻子补身子，后来，每到一地，他就和战士们一起去挖野菜、草根，把嫩的给妻子吃，自己吃老的。当两人分处两地时，任老也常常牵挂着妻子，嘱托儿女要照顾好她，给她更多的关心。虽然他们的爱没有多么惊天动地，也没有什么浪漫唯美，但他们的爱更为隽永，也更为高尚。就如任老曾经和妻子所说，我们是革命的夫妇，同是党的儿女，我们的爱情是融化在对党、对人民的爱情里的。虽然时过境迁，时代不同，但这种高尚的爱情，仍然值得我们去追求。

任老和孩子们相处的时间并不是很长，但是他对孩子们的爱，却非常的深厚。他总是以看似寻常的举动，表达自己对孩子们体贴入微的关爱。

大女儿远志其实不是任老真正的第一个孩子，只是前面五个孩子或夭折或失散，任远志就成了大女儿。任远志的童年坎坷异常，刚生下来不久就和母亲一起进了监狱，做了最小的囚童。半年后母女俩被营救出狱，但随后她便被母亲送回老家，直到抗战胜利以后的第二年，她才第一次见到父亲。虽然在延安的窑洞中他们相处的时间并不多，但是点滴日常中，却难掩父亲对她的爱。任远志依然记得有一次自己在学校生病，学校通知了父母，请他们接她回家治疗。但是以为女儿装病的任老怀着锻炼她的想法没有派人去接，结果等她周六回家之后，看到瘦了很多的女儿，他非常心痛，留女儿在家休息了几天。1947年，胡宗南部进攻延安，中央机关转移到王家湾一带，任远志随父亲一道转移。在这段时间里，由于下河沟洗被子受凉，任远志发了一场高烧。工作很忙的任老，就打了一盆冷水，拧一条毛巾放在她额头上，然后去看文件和电报，过一会又给她换一次毛巾，再去忙自己的工作。连着好几个夜晚，都是这样度过。这让任远志记忆深刻，并且后悔当时年幼不懂事，总给忙碌的父亲添麻烦，却不能为他分忧。任老就是这样既爱革命事业，又爱孩子，既有大爱，也不舍小爱。

小女儿远芳1938年出生于苏联，但是在她出生后不久，父母便奉调回国，直到1948年，她才有条件和父亲通信，当时她给父亲写下了第一封信。1949年，任老给小女儿写下了第一封家书，因为知道女儿不懂中文，他还特意以俄文写。在信中，父亲盼望看看10年来未曾谋面的女儿的迫切心情跃然纸上："亲爱的卡佳：……从信中获悉你生活很好，学习也不错。我们为此而欣慰。可你为什么没给我们寄来一张你的照片呢？你大概已经长大了，我们多想看看你呀！哪怕是你的一张照片。"这封家书，让任远芳第一次体会到了被父母钟爱的感觉，第一次从照片中见到了父母、姐弟，看到了家人，第一次有了"我的家"的概念。在写给小女儿的数十封信中，常常可以看到他对女儿的爱与关怀。他常称呼女儿"亲爱的""亲爱的女儿""亲爱的卡秋莎"，经常给女儿寄照片，叮嘱她注意自己身体，担心她冷不冷、有没有生病……字里行间，对女儿的爱自然而然地流露出来。任远芳在晚年回忆起这段时光时仍感慨：“我一生中与父亲共同生活总共不超过1年零7个月。但是，父亲的爱却温暖了我一生。”

任老不仅自己爱着孩子，他还常常教导他们要学会互相关心、互相爱护。就他自己而言，他始终关心爱护自己的亲人：对待自己的妹妹，他时时关心她们的生活、工作，督促她们不断进步，为人民服务；对待自己的晚辈，他都一视同仁，没有亲疏之别。在子女的教导上，他总是在一些小事中引导孩子们互相关爱。在他和小女儿即将从苏联回国时，他写信给儿子远远，告诉他，姐姐即将回家，将来和他一起上学，并叮嘱儿子：“她回家后你必须准备处处帮助她，不能因为她不懂中国话就去欺侮她。我现在除买一架女脚踏车给小姐姐外，另买一架男孩脚踏车给你，可是远芳姐姐还没有车子，你要准备将你现用的车子将来送给芳姐姐作为你们相见的礼物。我想你是会同意，而且一定要这样同意才好，这也是我在事前要向你说明白的。”任老就是这样来教导孩子们要互相关心、互相帮助、相亲相爱。

良好的家风来自于言传身教，任老虽然给孩子们讲大道理的时候并不多，但他事事处处都在用自己的行动教育着孩子们，用爱构筑起一个温馨的家，用爱传递着孝顺父母、友爱兄弟、相亲相爱的优良家风。

二、“要永远记着‘为人民服务’这五个字”

为人民服务，是衡量一个共产党员的重要标准。习近平同志曾经说过：“我们讲宗旨，讲了很多话，但说到底还是为人民服务这句话。”为人民服务，不是嘴上说说就可以的，还需要实实在在的行动。任老一生勤勤恳恳，三十年如一日为党和人民的事业无私奉献，成就了他党内“骆驼”的美名，赢得了党内外的广泛赞誉，正如王首道在1979年纪念他时写的一首诗中所说，“君革命功业可钦，服务人民日月昭”。任老用一生诠释了“为人民服务”的真谛，也希望家人能够牢记“为人民服务”这五个字，把自己的一生献给人民的事业，他常常告诫孩子：吃了人民的小米，不能辜负人民对你的希望，将来一定要为人民做事。

为人民做事，首先要学好本领。无论是对比他小的弟妹，还是他的子女后辈，他最关心的是他们能否学好为人民做事的本领。在中华人民共和国成立之初，任弼时的堂妹培珊从家乡来到北京求学。见到阔别已久的二哥，她内心十分激动，既感觉二哥和蔼可亲，又觉得他有长辈般的尊严。而任老在和堂妹见面后说的第一句话就是问她：“你准备学什么？念那一系？”当堂妹回答说“想学农，念农艺系”后，他非常高兴地说：“好得很，希望你将来做一个拖拉机手，努力学习做一个农民需要的选种专家，好好为人民服务。”

在任老看来，为人民服务，就要好好学习，掌握为人民服务的本领。他自己当年就曾为了掌握革命的理论经验，千里迢迢，北上苏联，如饥似渴地汲取苏联进行共产主义革命的理论和经验，学习为中国人民谋取光明前途的先进知识。当孩子们渐渐长大，他也不断对他们耳提面命，要求他们要好好学习，掌握科学知识。1947年，在延安中央机关转移途中，大女儿远志和其他孩子一道被送到河东安定下来，在女儿东渡黄河之前，任老给女儿题下了“努力学习”四个字，这是他对孩子们一贯的希望与要求。他在随后的家书中，不断告诉大女儿要好好学习。他说，你来延安后一年里，因为战争的关系没有能够很好学习，晋绥环境安定，你应当安心好好学习，在学习和生产中注意不要因生病而妨碍学习。他语重心长地告诉女儿：“你们这辈学成后，主要是用在建设事业上，即是经济和文化的建设事业，需要大批干部去进行。建设事业就是要有科学知识。”在任老的观念中，一个人活着就要对社会有用，就要把自己奉献给人民的事业，他希望把每一个孩子都培养成为对中国建设有用的人材。中华人民共和国刚刚成立不久，他在写给小女儿的信中就告诉她：“中国人民今后的任务是恢复和发展工农业，为此，需要许许多多的各种各样的专家和干部。望你更加努力学习，并在苏联完成学业之后，成为一名优秀的专家。”当小女儿想要和他一道回国时，他详细地给女儿分析了回国和留在苏联两种选择的利弊，建议女儿最好留在苏联继续学习，完成大学教育，然后带着专业知识回国，为祖国的建设事业增砖添瓦。虽然他常常不能和孩子们在一起，但在一封封家书中，他始终不忘关心孩子们的学习情况，不断告诫他们要好好学习，更加努力，把自己培养成为社会上有用的人材。

为人民做事，还要能吃得了苦。任老的一生就是在艰难困苦中不断前进，在病痛折磨中不停操劳的人生。他长期抱病坚持繁重的工作，当同志们劝他休息时，他却说，“我们都是共产党员，肩负着革命的重任，能坚持走一百步，就不该走九十九步”，用生命谱写了“骆驼负重至死休”的壮丽华章。任老虽然远去，但他那坚韧不拔，甘于做出自我牺牲的“骆驼”精神，却是他留给后人最宝贵的财富。

任老自己是吃苦耐劳的楷模，也教育孩子们要好好锻炼自己，能吃得了苦。他曾教导大女儿说：“要能吃苦，要好好锻炼自己，要努力学习，长大了才能为国家做事，为人民服务。”1947年，在中央机关转移撤离延安时，学校因为任远志年纪还小，一开始没有安排她随学校转移，希望任老带着她一起走。但是任老却让女儿跟随学校行动，自己背着背包，和同学们一起接受锻炼。日夜兼程的艰苦行军路，让从小因营养不良患有夜盲症的任远志走得非常辛苦，有时候踏出第一步不知第二步往哪迈，只好在前面同学背包上拴一条白毛巾，随着视野中这个隐隐约约的小白点前进。即便这样，她依然因此而摔伤，把右脚趾骨摔裂。

任老得知她摔伤的经过，虽然很是心痛，但依然半开玩笑似地对她说：“轻伤不下火线，你怎么回来了呢？”二女儿远征在撤离延安的时候还在上小学，看到身边好多小朋友都被父母接走，也希望自己父母能够来接她，但是左等右等也没有等来父母，只好随学校一起行动，吃了很多苦头，常常走着走着就睡着了。任老就是这样不断锻炼孩子们的吃苦精神，就像当时学校建议他带着两个孩子一起走时他所说的“还是让她们锻炼一下吧，不要把孩子养成革命的娇子”。也正是任老的不断培养锻炼，让孩子们都从小就学会了吃苦耐劳，他们才能够在后来的人生中成为对社会有用的人，为国家建设事业做出自己的一份贡献。

“全心全意为人民服务”，“甘当革命老黄牛”，这是聂荣臻元帅对任老的盛赞，也是任老一生的真实写照。在他的言传身教下，孩子们知道了应该怎样做一个真正的人，一个对民族对人民有用的人。为人民服务，为人民做事的优良家风，就这样在他们家庭中不断传承。

三、“艰苦朴素是革命的传家宝”

勤俭节约是中华民族的传统美德，艰苦奋斗是中国共产党的一大优良传统。作为一代共产党人的楷模，任老三十年如一日，从国内革命战争时期到中华人民共和国成立以后，始终保持艰苦朴素的优良作风。他那广为流传的“三怕”，就是他艰苦奋斗精神的直接体现。

任老始终保持艰苦朴素的生活作风。在土地革命战争时期，他领导创建湘鄂川黔根据地，就一直秉持艰苦朴素的风格。当时的他在吃穿上和其他人没什么两样，和群众们一样吃穿，和普通战士一样生活。不仅如此，他还非常注重对干部们的艰苦朴素教育，告诫他们“艰苦朴素是革命的传家宝”，希望他们能够始终保持劳动人民的本色。他的谆谆言辞和艰苦朴素的风格，像润物的细雨，感染和教育着干部，让他们在政治上产生了很强的凝聚力。在延安，凡是能够过得去的，自己能够做得到的，他决不去麻烦别的同志。在大生产运动中，他带头响应毛泽东同志“自己动手，丰衣足食”的伟大号召，开荒生产，参加纺纱。中华人民共和国成立后，生活条件比过去好多了，但他艰苦朴素的本色依然没有变。当时刚进北京，组织上给他安排的房子比较残旧，中央机关就花了一点钱修理了一下，他知道了以后，心里很是不安，一晚睡不着。后来，同志们考虑到他身体不好，他的住房又临近大街，人车嘈杂，不太方便，想让他搬进一所环境相对较好的房子，他却说：“那里驻着一个机关，而我是一个人，不能为了我一人去牵动整个机关。”同志们见到他不同意搬，又建议帮他换一间舒适的房子，他又说：“何必麻烦去换房子呢？这里还可以住嘛，还是住这间房子吧！”就这样，他住的房子始终没有调整，一直到逝世。怕麻烦人，这是任老的其中一“怕”，也是他艰苦朴素作风的直观体现，彰显了一个优秀共产党员的高尚情操。

任老还十分注重勤俭节约，总是怕花钱多。他时时刻刻、一点一滴都为着人民打算，自己却是过得十分俭省。任培辰依然记得自己时隔二十二年以后再次见到哥哥的情形：他们家用很简单，餐桌上的碗都是搪瓷碗和竹筒碗，并已破损；筷子上系了绳子，好像是行军时使用的。而这恰恰是任老一贯的生活情形。自幼家贫的任老，从小就养成了勤俭节约的良好习惯。他不仅从小就爱劳动，还十分节俭。在他上中学的时候，家里每学期只能给他供给一吊钱（合一百个铜板），他却一个小钱都不乱用，衣服都是自己抽时间洗。在革命工作中，他最反对铺张浪费，常常叮嘱身边的同志要爱护公物。在延安时，有一次，有人想用布搭一个棚子乘凉，因为当时任老是党中央秘书长，申请提交到他那里，他坚决不批，说：“现在人都没有衣服穿，哪有布搭棚子！”

在生活上，他也始终严格要求自己，不搞特殊，勤俭节约，并常常教导和要求家人一定要爱护国家资财，节省开支，勤俭持家。中华人民共和国成立之初，国家经济比较困难，领导干部实行供给制，他每个月都要问妻子菜金有没有超过供给标准，生活用品是不是按制度领的，绝不搞特殊，超出应有的标准。有一段时间，他在北京市郊养病，孩子们陪伴在他身边，他就规定不准孩子们随便要车进城，要求他们把要办的事积累在一起，集中去办，免得浪费汽油。他常常嘱咐孩子们：一定要节约水电，电灯要人走灯关；自来水用时不要开得太大，用完要关紧；不要在墙上随便钉钉子挂衣服；打开窗子一定要固定好窗扇，不然风一吹就要打破玻璃。为了让孩子们养成随手关灯的习惯，他还在每个房间电灯开关处贴上“人走灯灭”的字条提醒大家。这个习惯让大女儿远志后来一直坚持，并以此来教育自己的子女。

对于穿的、用的物品，任老始终坚持能修补再用就别扔掉的原则。孩子们还记得他们一家刚到北京时，母亲让他们找一些旧衣服来做鞋底，当他们把之前的破旧衣服翻出来时，遭到了任老的批评。任老在其中挑出来几件破得不太厉害的，对他们说：“这还可以补一补再穿，进城了，我们还要注意节俭呀。”他在翻拣的时候还时不时地自言自语：“缝缝补补又三年嘛！”女儿们用的放衣服的箱子，都是任老从延安撤退时用来装文件的木箱，很是粗糙简陋。任老这种艰苦朴素的生活作风和他对孩子们的教育，让大女儿远志印象十分深刻，一直将父亲的教导铭记在心，并化为行动。读书时，她从不主动向家里要一分钱。有时父母忘记给她车票钱，她身上有三分钱就买三分钱的票，其他路程就步行，遇上一分钱也没有时，就全程步行；参军后，一身军装里里外外，从未做过入时的衣服；成家后，经济比较紧张，她就带着孩子平时艰苦度日，病时借贷吃药，顽强地度过了最艰苦的时期。这一切，都得益于任老的教诲与影响。

生命虽止，精神不息。任老一生为人民无私奉献、甘于自我牺牲的“骆驼”精神，熔铸为革命家风，在他们家中代代传承。任老从不给孩子们讲大道理，却在日常生活中让孩子们明白了家的温馨，在循循善诱中让孩子们认识到要为人民做事，在以身作则中让孩子们养成艰苦朴素的作风。任老的良好家风不仅在他们的家庭中传承下来，也是整个社会的宝贵精神财富，成为当前家庭教育学习的榜样。

第九章 陈毅：革命是吾风，勤俭是吾宗

小丹赴东北，升学入军工。写诗送汝行，永远记心中。汝是党之子，革命是吾风。汝是无产者，勤俭是吾宗。汝要学马列，政治多用功。汝要学技术，专业应精通。勿学纨绔儿，变成百痴聋。少年当切戒，阿飞客里空。身体要健壮，品德重谦恭。工作与学习，善始而善终。人民培养汝，报答立事功。祖国如有难，汝应作前锋。试看大风雪，独有立青松。又看耐严寒，篱边长忍冬。千锤百炼后，方见思想红。

——陈毅《示丹淮，并告昊苏、小鲁、小珊》

“汝是党之子，革命是吾风。汝是无产者，勤俭是吾宗。”这是陈毅元帅给儿子的一首送别诗，诗中谆谆告诫儿子要时刻谨记革命家风，保持无产阶级的勤俭本色。这首通俗易懂的教子诗，充分体现出老一辈无产阶级革命家陈毅的治家之道。

陈毅出生在素有“耕读传家”“义门世家”之称的陈氏家族，自幼饱读诗书，1920年，19岁的陈毅为寻求救国救民的真理，前往法国勤工俭学。回国后，在中法大学读书时入党。自1923年入党后，陈毅先后参加了南昌起义和湘南起义。

陈毅作为战功赫赫的开国元帅、叱咤风云的外交家，一生立功无数，权高位重，却将人民和国家的利益始终牢记心头，坚持不搞特殊化，克己奉公。他严于律己，身体力行，以国家的利益为重，不拿群众一针一线。同样，他近乎苛刻地要求教育子女，在他的谆谆教诲之下，四个儿女都成为共和国的建设者。陈毅喜好文学，作风儒雅，今天留下《陈毅诗词选》和众多家书，能够让我们一窥陈毅元帅的家风传承和治家良方，让我们学习并传承老一辈无产阶级革命家的宝贵家风。

一、“诗书传正道，礼仪定天下”

陈家素有“耕读传家”“义门世家”之称，家风和顺。自康熙年间因“湖广填四川”的政策，陈家先祖迁居四川省乐至县，到陈毅出生时，已历九世。这是个家风浓郁，重视子女教育的世家。陈毅的父亲陈昌礼读书较多，诗词歌赋、琴棋书画都懂一些，他秉承家族传统，恪守陈氏祖训家规，以“四维”和“为忠为民”修身立德，并注重言传身教，将这些好的祖训家规传递给他的晚辈。陈毅三岁时开蒙读书，先后读了《三字经》《百家姓》《千字文》等书籍。据陈毅回忆：“小时候，我记忆力很好，读书三遍就能背诵，祖父称赞，赏给点小奖励。”陈毅读书用功，到六岁时已经读完四书。

陈昌礼除了重视陈毅的文化学习，也十分注重对陈毅的品德教育，尤其注重周围生活环境对陈毅的影响。陈昌礼曾在其岳父黄福钦那里任幕僚，时常目睹周围官吏贪赃枉法、欺压乡里的种种行为，担心如此恶劣的环境对孩子的成长产生不良的影响。1942年陈毅在给奥地利医生罗生特的信中曾这样回忆这段生活：“我在那里过着衙门生活。那时候留下一个至今难忘的印象，就是衙门里经常毒打犯人，使我在旁边看了非常难受。我很同情那些被打的人，在我心里开始种下了对旧社会愤怒不平的种子。”“在那里过了两年多时间……官府中腐败黑暗的情况，引起我极端的厌恶……”最终，陈昌礼效仿“孟母三迁”，毅然辞职，带着陈毅返乡。

陈毅的母亲黄培善出身良好，是陈毅少年时期品德的主要引导者和培育者。“诗书传正道，礼仪定天下”，当了将军的陈毅，对母亲的训言始终铭记在心，而陈毅对其母的孝顺在乡邻中更是广为颂扬。那是1962年，陈毅已62岁，身任国务院副总理、外交部长等要职。这年春，他随总理周恩来出访归国，途经成都时，带夫人张茜抽空去探望母亲。他母亲已年过八旬，重病在身，不能自理，时常小便失禁。这天下午，陈毅和张茜刚进到母亲房中，恰逢母亲刚换下一条尿裤，母亲见儿子到来，自然欣喜无比，但又不想让儿子、儿媳见到尿裤，便不停地挥手使眼色，要侍候她的侄女把尿裤藏起来。侄女一时慌了手脚，急急忙忙将尿裤扔到床下。细心的陈毅发现却装作不知情，在陪母亲聊会天之后，不经意问道："娘，我进来的时候，你把啥子东西藏到床下了？"母亲羞赧答道："是脏了的裤子，一会我让她们拿去洗洗就好。"陈毅听罢，感慨道："娘，你久病在身，我没能在您身边侍候，心里真有说不出的难受。这裤子应当由我去洗。我小时候您不知给我洗过多少尿裤啊。儿子怎么做也难报答养育之恩！"接着，陈毅又对张茜说道："我们家乡有句俗话，'婆媳亲，全家和'。你这个平常不能照顾婆婆的媳妇，也该尽点孝道。今天我俩一起来洗这条裤子好不好？"张茜点头答应。于是，陈毅和张茜一起动手为母亲洗了尿裤和其他一些衣物。亲自为母亲洗尿裤，虽然不是什么壮举，但也充分体现了陈毅的拳拳孝子心。

良好的家风使陈毅积淀了深厚的文化基础。陈毅青少年时期便大量阅读传统文化书籍，形成了阅读习惯，甚至在留法预备学校一边学习西方文化，一边大量阅读《三国志》《史记菁华》《资治通鉴》等史学著作和《六韬》《三略》《孙子兵法》等古代兵书。受到父辈的影响以及在私塾中的音韵启蒙教育下，陈毅很早就学会了作诗，而且无论多么艰辛困苦，他都坚持读书写诗，正如郭沫若所言："一柱南天百战身，将军本色是诗人。"陈毅一直在用一个诗人的情怀，爱这个国家和亲人。要想知道他是个怎样的人，对子孙后代有怎样的期望和爱，在他的诗词里都能找到答案。陈昊苏是陈毅元帅的长子，1942年出生在苏北阜宁。41岁才当上父亲的陈毅，喜不自禁，饱读诗书的他对妻子张茜说："太阳一定会驱散亡国的黑暗的，我们就叫昊苏吧！昊者大也，苏者春也。”陈昊苏小时候，见到父亲的机会很少，但在他的记忆里，他的童年却是非常快乐的，很多瞌睡或饥饿的夜晚，妈妈都会给他和弟弟读父亲陈毅的诗词：“天将晓，队员醒来早。露侵衣被夏犹寒，树间唧唧鸣知了。满身沾野草。”陈毅不仅自己作诗，也鼓励孩子们多读书、作诗。受父亲的影响，陈昊苏很小时就开始写诗。1949年，陈毅出任上海市长，7岁的陈昊苏为他创作了一首诗：“嘻嘻哈哈笑呵呵，快快活活扭秧歌，妈妈身体很健康，爸爸前方打胜仗。打垮了反动派，一家大小团圆过，你说快乐不快乐？”收到儿子寄来的这封特别的信，陈毅十分高兴。

在良好家风的浸润下，陈毅一家家庭和睦，且都胸怀民族大义。1929年8月下旬，陈毅到上海向党中央汇报工作时，堂兄陈修和、胞兄陈孟熙以特殊身份护卫着陈毅，体现了陈氏家训血浓于水的亲情。在上海英租界四马路新苏旅馆里，陈毅、陈孟熙、陈季让、陈修和、陈世泽兄弟相聚，陈毅说：“我们弟兄都是官，但我们一定要当人民的清官……”弟兄们一致赞同陈毅。解放战争期间，身居国民政府要职的中将陈修和、少将陈孟熙、陈季让在祖训家规、民族大义感召下，先后起义，为新中国的成立和建设作出贡献。

二、一生革命公为先

新中国成立后，长期身居要职的陈毅说：“我一生都想努力克己、守纪律、不愿累公家，此是实言语也！能否做到多少尚待努力，不能以此自满也！”这句自白可以说是陈毅一生革命为公的写照，他无私贡献，始终将人民的利益放在心里。

1911年，四川掀起“保路”风潮，陈毅经常偷偷跑到街上，深受感染鼓舞，陈毅后来回忆道：“我当时还不懂得革命的政治意义，但是暴动的事实为我所见，在我童稚的心灵中激起了共鸣。”为劳苦大众奋斗的革命种子，在少年陈毅的心里生根发芽了。

1919年底，陈毅随着法国勤工俭学的同学们到了资本主义世界的中心城市巴黎，在巴黎，他“勤工便是生产，替社会充裕生计，俭学就是求学，是精神生活，是创造文化，为社会求进步”，“两手解决我的生活问题和求学问题，这真是少年的伟力”。随着思想的进步，陈毅逐渐接受了马克思主义。从法国归国在中法大学读书时，他主动加入了中国共产党，从此开启了他为革命奋斗的一生。

新中国成立后，陈毅担任党和国家领导人，始终克己奉公，不以公器谋私用。1950年春节，陈毅此时已是上海市长，位高权重。陈毅的父母从四川千里迢迢来看儿子，但陈毅忙于公务，没时间陪二老。于是陈父就给侄子打电话，让他安排陪同出外玩耍。这事被陈毅知道后，对父母坦率地提出：“你们也要遵守革命纪律……我们来个‘约法三章’好不好？一、不得随意动用公车；二、不要借用我这个市长的名义外出办事；三、没有特别的事，不要随意外出。”二老表示接受，后来，为不给儿子添麻烦回到了四川老家。

后来，陈毅得知，母亲病重时成都军区负责同志送去一笔水果费，心中不安，于是给家人写信说道：国家正在困难时期，“仍在克服困难中，希本此精神不再要省方补贴，至要至要”。

陈毅是一个孝子，深知父母养育之恩难报，他曾说：“惟于亲亲骨肉之系念，尝与日俱永……每当动笔家书之际，便心绪堆积，无从措词，虽或伸纸着墨，不尽数行，又复扯毁。此情难言。”亲情虽然重要，但是不能徇私置国家利益于不顾，这是陈毅等老一辈无产阶级革命家的高贵品质。他说：“革命乃大孝，努力事戎行。”陈毅将对父母的孝心，升华为对革命事业的忠诚和贡献。

陈毅给父母“约法三章”，对亲戚更是“不开口子”。大哥陈孟熙因家中困难，写信求助弟弟，想要到上海生活，陈毅回信说：“此地（沪）生活程度高，亦不便增加待遇。兄生活困难，弟有责帮助，弟每月汇30万元助兄，谅可以撑持过去。大侄女儿3人，可送去参军，可送去就业，可送短期技术学校，均是自立办法。兄我均苦学出身，子侄辈亦宜走此途径，人民建设时代更应如此……”陈毅拒绝了大哥提出得到特殊照顾的要求，并建议自家后人要谋一份职业，不能搞特殊化。侄女陈德珍在地方上任妇女主任，想托陈毅关系到上海寻一所学校深造，陈毅托妹妹陈重坤转告要她安心在基层工作，鼓励她“应有志气，决心毕生为人民事业奋斗到底”。

陈毅在人民和国家的利益上绝不含糊，他不但严格约束父母亲属，对子女更是严厉要求。他要求子女谦虚谨慎，严以律己，加强修养，脚踏实地。陈毅在《示儿女》中说：“汝是党之子，革命是吾风。”把孩子放在无产阶级革命事业接班人的位置上严格要求，始终要求儿女发扬艰苦奋斗优良传统，保持革命本色。

陈毅还注重培养孩子们为人民服务的意识，以实际行动启发和教育子女。陈毅在上海任职期间，岳父从武汉到上海来看望，在陈家住了一阵子，那时国家还是供给制，干部的生活费由公家负担。陈毅考虑到长住在家里影响不好，便动员岳父早点回去。老人家开始不理解，认为女婿是上海市的市长、野战军的司令员，自己在上海多住几天没有太大关系。陈毅恳切地对老人说：“共产党与国民党不同。国民党时，谁当了大官，亲戚朋友找上门来，都可以当官，骑在人民头上作威作福；我们是共产党，职位越高，越要以身作则，严格要求自己，只有这样，人民才能拥护我们，国家才能兴旺。”一席话，既让老人家明白了自己的良苦用心，也给子女上了珍贵的一课。

陈毅擅长作诗，很注重以诗达义，将诗歌作为礼物赠送子女。1961年夏天，二儿子陈丹淮高中毕业后考上哈尔滨军事工程学院，老父亲陈毅提笔写下："汝要学马列，政治多用功。汝要学技术，专业应精通。"他还告诫孩子们："身体要健壮，品德重谦恭。工作与学习，善始而善终。人民培养汝，报答立事功。祖国如有难，汝应作前锋。"三子陈小鲁学习《沁园春·雪》，陈毅趁着讲解对儿子进行教育："'数风流人物，还看今朝'，贯穿着一条历史唯物主义的原理，就是毛主席说的'人民，只有人民，才是创造世界历史的动力'。你要牢记这一点哟，长大了要老老实实地为人民服务。"

陈毅虽然身居高位，但是从不要求特殊化，也杜绝孩子们搞特殊化。因此，孩子们的履历表"父亲"一栏里，一直填写的是化名。陈毅殷切希望子女不要借着父亲的高位，而是靠着自己的诚实劳动赢得他人的尊重。

三、"汝是无产者，勤俭是吾宗"

勤俭节约是中华传统美德，陈毅十分注重教育子女养成勤俭节约和吃苦耐劳的习惯，这在陈毅的诗歌作品中也时有体现。陈毅在教子诗中说："汝是无产者，勤俭是吾宗。"在生活上，陈毅要求子女"老大新，老二旧，老三补，老四破"。他家几个孩子的衣服总是大的穿了小的穿，"新三年，旧三年，缝缝补补又三年"。老三陈小鲁岁数虽小，可个子长得快，衣服轮到他穿时，往往不仅破旧，而且显得很不合身。一次，他用手摸着盖不住腿肚子的裤子跟陈毅的秘书说："叔叔，我就穿这么短的衣服过年吗?"吃饭的时候，陈毅时常告诫孩子们一粥一饭来之不易，要注意节俭粮食，看到有哪个撒汤漏饭了，就要求站起来背唐诗《悯农》：“锄禾日当午，汗滴禾下土……”

在日常出行方面，和普通孩子一样，无论酷暑还是寒冬，陈毅的孩子们都能坚持骑自行车去学校，从未乘坐公家配给陈毅使用的小汽车。有一年，北京盛行滑冰，孩子们吵着要买滑冰鞋，陈毅给陈昊苏写信说：“冰鞋你兄弟三人可以各买一双。姗姗还小，明年再买。”陈毅注重从细节入手，让孩子知道节俭生活，养成艰苦奋斗的习惯。而在子女成家等大事上，陈毅也力主节俭。三儿子陈小鲁与粟裕的女儿结婚时，正好是夏天，但是，仅有一个大西瓜的“西瓜宴”就是他们的“婚宴”。在陈毅的影响下，子女们耳濡目染，养成了良好的品质，在生活上不仅克勤克俭，而且待人谦和。陈毅住院期间，子女们对医护人员都非常敬重，主动取药、打扫楼道卫生。良好的家风，不仅成为子女们终生的骄傲，也让他们终生获益。

陈毅元帅一生革命奉公，被毛泽东誉为“是个好同志”。他凡事律己甚严，行为世范。出生于“耕读”世家的他，秉承优良的家风，在此基础上培育了节俭朴素、无私奉公的无产阶级家风，传承给子女和后人。《示丹淮，并告昊苏、小鲁、小珊（二首）》便是陈毅家风的充分体现。

示丹淮，并告昊苏、小鲁、小珊

小丹赴东北，升学入军工。写诗送汝行，永远记心中。汝是党之子，革命是吾风。汝是无产者，勤俭是吾宗。汝要学马列，政治多用功。汝要学技术，专业应精通。勿学纨绔儿，变成百痴聋。少年当切戒，阿飞客里空。身体要健壮，品德重谦恭。工作与学习，善始而善终。人民培养汝，报答立事功。祖国如有难，汝应作前锋。试看大风雪，独有立青松。又看耐严寒，篱边长忍冬。千锤百炼后，方见思想红。

深夜拂纸笔，灯下细沉吟。再写几行诗，略表父子情。儿去靠学校，照顾胜家庭。儿去靠组织，培养汝成人。样样均放心，为何再叮咛？只为儿年幼，事理尚不明。应知天地宽，何处无风云。应知山水远，到处有不平。应知学问难，在乎点滴勤。尤其难上难，锻炼品德纯。人民培养汝，一切为人民。革命重坚定，永作座右铭。

第十章 黄克诚：仰不愧天，俯不怍人

我们就要共同生活了，有些问题需要郑重地讲清楚。第一条，我们都是共产党员，都得把党的利益放在第一位，不能因为婚姻的利益而妨碍党的利益，不能因为私人的利益而损害党的利益；第二条，我所处的工作岗位重要，你不能因为要求男女平等（当时女同志坚决要求男女平等）而让我迁就你，因为我的工作岗位比你的重要；第三条，我这里有军队的一些文件，还要经常找人谈话，你不得打听你不应该知道的事情。

——黄克诚与唐棣华『约法三章』

“党内夸刚正，人推黄克诚。奋斗仗精诚，最佩正气雄。”提到开国大将黄克诚，人们会想到他刚正不阿、敢于直言的性格，黄克诚在党内、军内享有崇高的威望，大家都尊称他为“黄老”，连年长他九岁的毛泽东也叫他“黄老”，在1954年的中央军委扩大会议上毛泽东说：“我四年未管军事，一切推给了彭德怀同志。讲责任，第一位是我，第二位是彭德怀，第三位是黄老……”黄克诚不仅以刚正不阿、敢于直言著称，在严格治家方面也堪称楷模。黄克诚一生为革命奔走，四十多岁才与妻子唐棣华有孩子，舐犊情深较之常人更甚，但他对子女严格要求，所立下的家规几近苛刻，却给子女留下了克勤克俭、艰苦奋斗、自强自立、拼搏进取的严格家风，留下了严于律己、廉洁奉公、不搞特权、不谋私利的优良传统，黄克诚的家风彰显出革命家的高风亮节，为他赢得了“共产党人的楷模”的美誉。

一、“能节省一点是一点”

黄克诚一生廉洁自律，一身正气，无论是在战争年代还是和平时期，功勋卓著的黄克诚将军始终保持着共产党人艰苦朴素的优良传统和作风，始终保持着公仆的本色，始终保持克勤克俭的操守和风范。

1940年1月25日，新四军在苏北盐城举行皖南事变后重建军部大会，黄克诚率领的八路军第五纵队改编为新四军第三师，黄克诚担任第三师师长兼政委，苏北地区由于受日伪残酷“扫荡”和经济掠夺，生产力遭受严重破坏，抗日军民生活极度困难，在这艰难困苦的环境下黄克诚带领官兵厉行节俭之风，靠发扬勇敢战斗的作风和艰苦奋斗的传统来支撑苏北抗日大局。1941年5月，时任新四军政委的刘少奇在一次总结讲话中说：“新四军全军7个师，第三师人最多，花钱却最少，应该学习他们的经验。”为何第三师人最多却花钱最少？这与黄克诚率先垂范，保持艰苦朴素的作风不无联系。1943年初，第三师供给部在赶制夏季服装时，出现了棉布不足的问题。黄克诚提议改革制服样式，第三师军服上衣去掉翻领和两只口袋，裤子由宽大的中式裤腰改为西式小裤腰，军帽减掉翻沿，官兵不发绑腿布，这样积少成多，整个第三师部队一下节约了很多服装面料。当时，群众分辨是不是第三师的官兵，从服装上一眼便能认出。由于黄克诚处处以身作则厉行节约，曾被评为全军的“节约标兵”。

1949年1月，黄克诚担任中共天津市委书记，来到天津，黄克诚曾当众宣布了他的“章法”：我黄克诚进天津时穿着这身衣服，有一日出天津还是穿着这身衣服，保证原封不动。他说到做到。黄克诚不仅在天津穿着俭朴，进了北京也照样衣着朴素，从不追求个人享受。他平时穿的衣服是穿到实在不能再穿了才舍得换掉的。一次，黄克诚生病住院，医护人员见他穿的衣服打着补丁，感到很奇怪，便悄悄地问他身边的工作人员："黄老平时就穿这衣服？"工作人员回答："一贯如此。"医护人员惊讶地说："真没想到。"黄克诚在担任中央军委秘书长兼总参谋长期间，大力提倡勤俭办事，勤俭建军，严格掌控行政和军费开支，不该花的钱，他一分都不许花。尽管当时国家拨给军队的费用很有限，但就是这有限的钱，他仍要千方百计地节余出部分经费来支援国家经济建设，对于那些大手大脚花国家钱的现象，他斥之为败家子作风，认为这不应是共产党人所为。

党的十一届三中全会后，黄克诚重新担任了党和军队的领导职务，有关部门见他住的房子太旧了，就动员他搬迁或翻修，但都被他拒绝了，他说："我们国家还很穷，群众住房更困难，许多家庭是几代同堂住一间房子。我现在住的房子比起他们来，不知要好上多少倍。因此，没有必要搬迁，也没有必要翻修，不翻修也照样能住，还是节省点钱用在当用之处吧！"由于他所住的房子实在是太破旧了，有一次腐烂的顶板竟然掉下来一块，正好落在他的床边，万幸的是他没有被伤着，在这种情况下他才同意翻修屋顶。但是，当他听说翻修屋顶需要花费上万元钱时，他又改主意了，坚决不同意翻修："哪里坏了就修哪里，不要全部翻修，能节省一点是一点。"为了黄克诚洗澡用水方便，有关部门决定给他家接通热力管道。他们办好了预算拨款手续，画好了线路图，准备开始施工。但黄克诚却坚决不让施工。因为他听说接热力管道需要花费3万元，他认为不接这个热力管道照样可以洗澡，不必花这么多钱。结果一直到他逝世，他家住的依然是那所旧房子，热力管道也始终没有接上。

黄克诚的一生，是俭朴的一生，无论是在艰难困苦的战争年代，还是在新中国成立以后位高权重、生活条件优越的时候，黄克诚都始终保持着勤俭节约的生活作风，始终为人民群众着想，晚年复出后担任中央纪委常务书记，抓党风建设，制定领导干部廉洁生活准则，他更是处处以身作则，为增强党性、端正党风做出了表率。

二、清正严明，“不怕撕破脸皮”

黄克诚一向清正廉洁，在抓党风正党风上强调正人先正己，包括对自己、对家属、对部下以及身边的工作人员，黄克诚能做到做事讲原则、办事讲纪律，坚持廉洁奉公、两袖清风。作为党老一辈革命家，黄克诚素以敢说真话、敢于监督而著称，黄克诚抓党风、查问题，坚决不顾老情谊老面子，不怕撕破脸皮，他要求纪检部门要下一点狠心改变软弱状况，不要怕得罪人，要改变那种执法失之于宽、使人民利益受到损害的倾向，以实际行动为抓好党风作出贡献。

1980年1月，主持总参工作的杨勇为欢送调离总参的李达、张才千，欢迎新调来总参工作的张震，在京西宾馆请他们吃顿饭花了400元，有人向中纪委反映此事，黄克诚知道后并没有因为杨勇、张震是老部下而放宽要求，他毫不留情地指示说：“要查，涉及天王老子也要查，不仅要查，而且一定要处理，谁出的主意由谁掏钱。”听说黄克诚要查这件事，杨勇认为是小题大做而心生不快，黄克诚知道后立即给杨勇打电话说：“你官做大了，老虎屁股就摸不得了……”放下电话后杨勇便赶到黄克诚那里承认了错误：“不用查了，是我的主意。”随后他从自己的工资中拿出400元补上饭钱并做检讨，当时有不少人为此事说情，还有人提出要共同承担责任，但黄克诚坚决不同意，他诚恳地指出：“越是老部下，越要严格要求，不然怎么服众？”黄克诚这种狠抓党风不怕拉下脸的做法在当时引起了很大反响，原副总参谋长何其宗后来说：“我刚调到总参工作就碰到这件事，给我的印象深，教育也深。此后，我在总参工作从未用公款请过客。”

黄克诚对老部下严格，对妻子和子女也是如此。在黄克诚心中，虽然心里装着自己的家庭，但是始终把国家和人民放在最重要的位置，不允许自己因家人影响到国家和老百姓的利益。黄克诚的妻子唐棣华出生在一个富裕的家庭，在新中国成立之后，唐棣华的父亲因为走私鸦片而被检举，还被抓进了监狱。1952年春夏之交，人民政府决定对其执行枪决。唐棣华知道这一消息后，只是暗自伤心，却没有要求时任湖南省委书记的丈夫去求情，因为她心里知道，即便告诉了黄克诚，黄克诚也不可能因私去做说情工作。当这个消息传到黄克诚那里后，他第一时间联系办理岳父案件的办案人员，自己亲自去监狱探望岳父，并提出了一个要求。办案人员原以为黄克诚要为他的岳父求情，没想到黄克诚说，希望给自己的妻子见一下她父亲的机会，毕竟两人是血浓于水的关系，于情于理都应该让两人最后见一次面。办案人员听后很惊讶，没想到黄克诚提出这么简单的要求，立马应允，安排两人见面。黄克诚为人细腻，照顾了妻子的感受，但在大是大非问题上坚持原则，态度坚决。

1979年国庆前夕，堂弟黄时申去北京看望黄克诚。临走时，乡领导委托黄时申给黄克诚带去30斤茶油，算是乡亲们的一点心意。黄克诚看堂弟捎带了礼物，语重心长地说："请客送礼不利于恢复和发扬党的优良传统和作风，正人先正己嘛！"并叫堂弟将礼物带回。黄时申感到很为难，离开时借故把茶油留下了。黄克诚得知后，立即让工作人员按市值折钱汇给乡领导，并亲笔写信告诫家乡的党员、干部，不要再搞请客送礼的事。

黄克诚1981年2月在《人民日报》上发表的《关于党风问题》一文，对纠正不正之风有明确观点："党风指的是党的作风，是共产党员的作风，它包括思想、政治、工作、生活等各方面的作风……去年春天，我们提出，要纠正党内的不正之风。什么叫不正之风呢？就是与我们党的优良作风相违背，与《准则》（编者注：即《关于党内政治生活的若干准则》）相违背，与《关于高级干部生活待遇的若干规定》以及中央和国务院的有关规定相违背的那些东西……对于我们党内的不正之风，群众的意见是很大的，现在的群众与二十年前的群众有了很大的变化，他们观察问题的思想水平有了很大的提高。他们对我们党的言行非常敏感，对我们党的要求也很严格。”黄克诚是这么说，也是这么做的。

规定颁布时，他对妻子唐棣华说：“中央纪委规定，各级领导干部只能享受一套由公家提供的住房。有了规定，我们总要带头按规定办。现在公家给我安排了住房，你单位以前分给你的宿舍就要归还给单位。”唐棣华问：“你是说乾面胡同的那套单元房？”原来，之前单位在乾面胡同分给唐棣华一套三居室的单元房，她就和子女们搬到那里去住了，只在周末回大水车胡同4号院。1965年黄克诚外放山西后，大水车胡同4号院就退了，唐棣华率全家人都挤住在这套单元房，这套住房虽小，却为唐棣华和子女们遮风避雨，使他们度过了最难忘的岁月，现在要归还，从情感上来说还真有些舍不得。黄克诚反问道：“难道你还有别的房子？”唐棣华连忙坦诚地说：“我是对这套住房太有感情了。老实说我有些舍不得。”黄克诚说：“舍不得也要舍！你也是一位抗战时期就参加了工作的老干部，既然中央纪委有了规定，不管别人执行得如何，黄克诚家要带头。是一套房子重要，还是抓党风重要？”唐棣华连忙说：“我明白了，我明天就去办交房手续！”黄克诚知道妻子对那套宿舍充满感情与回忆，但正人先正己的话不能只挂在嘴巴上，他强调说：“谢谢你理解我，支持我。你是黄克诚的妻子，从严治党，治家是其中的一部分。高级干部必须从严治家。抓党风是要落到实处的。”

三、“没有什么后门可走”

在黄克诚的家规里，把好权力、不搞特殊是其中重要的一条，在平时生活中黄克诚对于这条家规执行起来近乎苛刻，虽然如此，黄克诚的子女们却能一直秉承这条家规，黄克诚也以这条家规来约束自己，约束妻子儿女，约束亲戚朋友，使他们深知要靠自己的努力，而不应该靠黄克诚的权力和影响力去赢得自己的人生。

1949年10月，黄克诚奉命从天津南下，担任湖南省委书记。黄克诚是湖南永兴人，但他回到湖南后，一年多的时间也没得空回老家去看一看。没想到，这年的初冬时节，哥哥黄时玑来省会长沙找他，这是兄弟俩二十多年后头一回相见。哥哥家一贫如洗，加上连年灾荒，生活很困难。黄时玑身体十分衰弱，一到冬天，即使穿着棉衣坐在火炉边，也仍然瑟瑟发抖。他这次来长沙，是想让弟弟给他弄一件皮袄用来御寒。黄克诚满口应承下来。自己的亲哥哥身体不好，确实需要穿件皮袄。可是转过身来，他却犯了难。买皮袄要花钱不说，更重要的是有钱也买不到货啊。因为皮袄在湖南属紧俏商品且有指标限制。黄克诚虽是湖南省委书记，但为了自己的事情，也绝不侵占公家的利益。他苦思冥想，想到北方的皮袄供应要比湖南多，就给时任察哈尔军区的司令员王平写了一封信，请他帮忙买一件皮袄，新的旧的都行。王平很快给办妥了，黄克诚如数付了钱款。

新中国成立后，黄克诚湖南老家的侄子黄开衡找到时任湖南省委书记的二叔黄克诚，叔侄俩寒暄过后，黄开衡直截了当地说："二叔，我要工作。""你的文化程度怎么样？"黄克诚问。"只读过一年书。"黄开衡回答说，黄克诚想了想，语重心长地对侄儿说："不错，大哥大嫂对我有恩，我真的好想念他们。可是，你文化这么低，干什么工作合适呢？依我看，你还是去煤矿挖煤吧。怎么样？"黄开衡连连摇头："我不去挖煤，我要去读书。"黄克诚说："读书？好！就去考湖南革命大学吧。"第二天，黄开衡去参加考试，要求写一篇文章，题目是《什么是新民主主义》。黄开衡从来没学过，根本无从下笔，结果没考取。黄克诚当时正兼任湖南革命大学的校长，却并没有为他开绿灯，黄克诚对侄儿说："我看，你还是去衡阳铁路当个工人吧，当个信号工。怎么样？"但黄开衡还是坚持要去读书。见侄儿决心这么大，黄克诚就把他送到长郡中学上初中和高中，临行前黄克诚对侄儿说："我只能给你指一条明路，至于怎么走，就靠你自己了。"黄开衡读书十分用功，高中毕业后考入中南政法学院，1959年顺利毕业。

1954年，黄克诚被任命为中央军委秘书长、国防部副部长、总参谋长、中央书记处书记。按规定，唐棣华与孩子可以享受相应的生活待遇。唐棣华却说："我们一直是普普通通的人，孩子们将来也一定是要过自食其力的生活。我只有一个想法，不管将来怎么样，我们一定要保证孩子们接受高等教育。"黄克诚小女儿黄梅回忆说："父亲和母亲用一种信仰的力量规范自己的言行，律己和治家一向是比较严格的。我们家的衣食住行，除了住房由公家安排，住得比较宽敞外，其他的都很简单。我们兄妹小时候穿的衣服多由外婆亲手缝制。家里还种了几棵刀豆、几棵南瓜。一段时间，吃菜经常是豆荚、南瓜，南瓜、豆荚，把人都吃烦了。公家给父亲配备的小车，孩子们是极少能坐的。我年幼时多病，常常是叫辆三轮车去看病。我还记得雨天里发着烧，坐在挂着油帘子的三轮车里往医院赶的情景。"

黄克诚虽然身为党和国家的高级领导干部，但是他对子女要求却十分严格，他经常教导子女："你们要靠自己的努力奋斗成才，不要靠我的什么关系、后门，我黄克诚是没有什么后门可走的。"黄克诚还立下家规：小车是国家配给办公用的，不能私用，家属子女坐着公家的小车"抖威风"不是我们党的作风，万万要不得。1980年黄克诚的小儿子黄晴结婚时，工作人员请求黄克诚破一次戒，允许黄晴用专车接新娘，黄克诚断然拒绝："这个戒不能开。年纪轻轻的，坐公共汽车，骑自行车，都可以来嘛，为什么要开着小车抖威风？"于是黄晴真的用自行车把新娘接了回来。儿子尚且如此，孙子就更不例外。有一年冬天黄克诚不满七岁的小孙子黄健因夜里发烧没睡好，早上起床迟了，那天下着大雪，司机见状正准备自作主张开车送孩子去上学，黄克诚夫妇发现后连忙制止：“现在你去送他一次，他就会想下一次，应该让他从小养成一个好的习惯，不去依赖别人，更不能让后代人破了我们的家规。”小孙子也很懂事，既不撒娇也不抱怨，而是跟平常一样顶风冒雪带病徒步上学去。

黄克诚一共有四个子女，受到父亲的影响，他们凭着自己的奋斗，个个品行端正，事业有成，黄克诚家成了领导干部廉洁家风的典范。黄克诚的大女儿黄楠回忆说：“父亲不怎么关心我们今后是否会有‘出息’，更看重我们能否按自己的兴趣发展，为国家做有益的事。”在黄克诚夫妇的言传身教下，四个子女都很自觉，从不向组织伸手要名要利，在各自的工作岗位上勤勤恳恳地工作。

四、“一心为公，无私无畏”

黄克诚自加入中国共产党的那一天起，就严格忠实地践行党的宗旨，他用一生铸就了“一代楷模”的光辉传奇，无论是在艰难困苦的战争年代，还是在新中国成立以后位高权重、生活条件优越的时候，黄克诚这样一位战功卓著的共和国大将把一生都奉献给国家，始终为国家和人民群众着想，从不计较个人得失，同时要求自己的家庭也要为国家和人民做出贡献。

在黄克诚与唐棣华的新婚之际，夫妻俩就“约法三章”，黄克诚一脸严肃地对唐棣华说：“我们就要共同生活了，有些问题需要郑重地讲清楚。第一条，我们都是共产党员，都得把党的利益放在第一位，不能因为婚姻的利益而妨碍党的利益，不能因为私人的利益而损害党的利益；第二条，我所处的工作岗位重要，你不能因为要求男女平等（当时女同志坚决要求男女平等）而让我迁就你，因为我的工作岗位比你的重要；第三条，我这里有军队的一些文件，还要经常找人谈话，你不得打听你不应该知道的事情。”唐棣华觉得第一条和第三条都好接受，唯独第二条多少有些大男子主义的味道，她当时虽然有些不乐意，但很快也就想通了，婚后第二天唐棣华就到阜宁县修筑海堤的工地上参加劳动，她曾说过：“战争环境，他不苛求我，我也不苛求他。”婚后两年，黄克诚和唐棣华的大女儿呱呱坠地，忙于军务的黄克诚没能在妻子分娩时赶到她身旁进行照顾，后来唐棣华又生了两儿一女，黄克诚也都因公务繁忙没能及时来到床前照顾，但唐棣华总能理解丈夫的苦衷，并自觉承担起家庭的重担。

“文化大革命”期间黄克诚被关押了八年之久，长期与家人断绝联系，直到1972年他才被允许与家人见面。当五年不见的儿女来监狱探望他时，年过古稀的他见到孩子们说的第一句话就是告诫他们要好好学习马列著作，并情不自禁地回忆起自己青年时代背诵《共产党宣言》的情景，当孩子们关切地问他身体状况和生活情况时，他只是淡淡地说“过得很好”，随后他又滔滔不绝地讲他当年的革命、工作和学习经历，并说起他的一些未及实现的、为国为民办实事的美好设想……他说得激情满怀、神采飞扬，仿佛他并未被关押。

黄克诚把个人的得失置之度外，却对平反别人的冤假错案不遗余力。长春市的一位医生1957年被划为右派，政治上受歧视，级别待遇长期受影响，精神上很压抑，无奈之下他试着向黄克诚和中纪委写信申诉，黄克诚知道后随即给这个医生所在的医院党委写信，责成他们认真复查处理，使问题得到了妥善解决，这位医生怎么也没想到问题居然真的得到黄克诚的关注，感激之余他给黄克诚回了一封信，表示要加倍努力工作，同时寄了一筐苹果答谢黄克诚，黄克诚知道后对身边的工作人员说："回信告诉他，帮他解决问题是党和政府的责任，是应该的，现在问题得到落实，放下包袱好好工作就行了，不必送礼。"他还嘱咐工作人员："苹果要坚决退回去。"工作人员于是将那筐苹果送到商店请人家帮忙卖掉，之后将钱寄给了那位医生。

1978年12月，在中共十一届三中全会上黄克诚当选中央纪律检查委员会常务书记，当时黄克诚因庐山会议所受到的错误处分尚未彻底平反，对于自己曾经受过的不公正待遇，他从没有流露过一点不满和怨言，很多人为他鸣不平，他却坦然地说："作为一名共产党员，个人在党内受点委屈不是什么了不起的事，这比起我们为之献身的共产主义事业来，实在微不足道。在党的历史上，有一些好同志含冤死去，他们连全国胜利这一天都没能看到，比起那些同志，我是幸运者。"好心人提醒他起码庐山会议后被降低的两级工资应当要求恢复，他不以为然地说："降低两级工资算什么？当年从家乡和我一起出来参加革命的几百位同志，都在战争年代牺牲了，我是唯一的幸存者。现在我有地方领薪金，有地方看病，有吃有穿，不是挺好吗？"

黄克诚一生革命和事业的出发点就是为党和国家着想，为人民群众着想，从不计较个人得失。1985年9月，黄克诚感到身体状况无法适应工作需要，主动辞去了担任的领导职务，中共十二届四中全会给黄克诚写了致敬信，高度评价他的光辉革命业绩和崇高的革命品德，并给他发致敬电赞誉他"不论身居高位还是身陷逆境，都一心为公，无私无畏"。1986年，黄克诚在住院期间深感自己病重难治，便拒绝用药和治疗，他说："我已经不能为党工作了，请你们不必为我浪费国家钱财，把药留给能工作的同志用吧。"他反复强调："我这样一个油尽灯枯的人，为人民做不了什么，为什么还要花费人民的钱财来治病？"医生们只好让几个身强力壮的战士按住他的手臂注射输液，可是他一旦清醒就又把呼吸机的管子和针头拔掉。弥留之际，黄克诚已经讲不出话来，他颤抖着用双手十分吃力地写下遗言，叮嘱有关部门对他的丧事一定要简办，不准家人额外向组织上提出任何要求。在生命的最后关头，黄克诚还在想着为国家节约钱财，他心中始终装着国家和人民群众，而把个人的成败利益置之度外，这就是胸怀博大、以德报怨、为国为民、不计得失的黄克诚。

1986年12月，黄克诚病逝，当秘书就黄克诚的追悼会征求唐棣华意见时，她取过黄克诚生平介绍草稿，将仅有的几处较高评价的词语删去，平静地说："他一生没有给自己争过什么，我们还是尊重他吧。"在黄克诚的追悼会上，很多老同志有感于他对党忠诚、为国为民、克己奉公的品德，都流下了哀痛的泪水，中共中央在为他举行的追悼会上称他是"共产党人的楷模"。妻子唐棣华和黄克诚情深四十余载，她为此写下《为克诚同志哀思》的挽联可谓黄克诚一生的真实写照：

为人复何求，少逢国危，坚信马列，青年从戎，毕生尽瘁，幸得中华民族光荣屹立！

既死无憾矣，仰不愧天，俯不怍人，国运日兴，人才辈出，惜不随全党同志再尽绵薄。

第十一章　徐特立：革命第一，工作第一，他人第一

……我读书和工作整整五十年了，还只一个半通。你比之我还有一个距离，但你的学习机会百倍于我。我希望你从今日起把学习列为正式时间，不缺一分一秒。但可把时间减少到最少，哪怕一日从一刻到半点，只要有恒。一经决定决不中断，把它当做吃饭、睡觉，除非有病决不中断……我认为你应该下最后的决心学一个字，即是一个『恒』字……

——徐特立给徐乾的信

在中国共产党的历史上，有这么一位老人：他从旧社会中走来，一生从事教育事业；他在湖南省立第一师范学校教书时，毛泽东、蔡和森等都是他的学生；他四十二岁时踏上异国他乡的邮轮，留法勤工俭学；大革命失败后，他冒着被杀头的危险，毅然选择加入中国共产党；在长征中，他是年龄最大的，却和年轻人一样走过了万里长征……这就是党的历史上被尊称为“延安五老”之一的徐特立。1937年，徐老六十大寿时，毛泽东曾高度评价他“革命第一，工作第一，他人第一”，并满怀深情地说，“你是我二十年前的先生，你现在仍然是我的先生，你将来必定还是我的先生”，号召全党同志向徐老学习。

“革命第一，工作第一，他人第一”，这是徐老一生的真实写照，更是徐老家风传承的精髓。作为杰出的教育家，徐老不仅在教书育人上为革命事业培育了大量新人，也在家庭教育中树立了良好的家教和家风。他认为：“要想使我们的后代都能成为革命的红色接班人，并且希望他们能够‘后来居上’，这就应该从思想、学习、生活等各个方面来关心和帮助他们。生活上关心他们，使他们能吃得饱、穿得暖，精力充沛地去从事学习和劳动，自然是重要的，必需的。但是更重要的是要关心他们的思想状况和政治生活。”本着这种教育思想，他试图把每一个后辈培育成合格的革命继承人，从学习、生活和工作等诸多方面培养后辈们坚持学习、艰苦朴素、大公无私的良好家风，传承他“革命第一，工作第一，他人第一”的精神风范。正如他的外孙女徐舟所说：外祖父毕生追求革命的理想，并用自己的行动去努力实现自己的革命理想，他对家属子女后代的要求，一句话“立志干革命”，他希望家庭中每个成员都是革命者。

一、“活到老，学到老，为人民服务到老”

学习使人进步。无数人在历史长河中因知识落伍而被无情淘汰，又有无数人因不断探索新的知识而成为时代的弄潮儿，徐老正是如此。从早年的“十年破产读书计划”到晚年的“二十年学习和工作计划”，他的一生都在不断探求新的知识，活到老，学到老，为国家和人民事业奋斗到老。

徐老自幼热爱读书学习，从不敢有半点懈怠。早年他曾入蒙馆读书，在那里发现和深刻体会到了读书的魅力，从此对读书产生了兴趣，一生勤读不辍。18岁时，迫于生活压力，徐老就到当地蒙馆教书，一直教了十年。他一边教书，一边刻苦读书，却苦于家中既无藏书，要读的书也不易借到；想要买书，却又太过昂贵。在当时，一部《十三经注疏》就要十五串钱，一部《庄子》也要三百文。而徐老教书的第一年所得俸金也只不过三串钱，尽管后来逐渐增加到了二十串钱，购置书籍仍然力不从心。因此，他经过反复思考，终于下定决心，在他二十岁那年做出了一个“十年破产读书”的计划。这个计划的内容就是：将每年教书所得的二十串钱作为家里的生活开支，而将祖母留给他的几亩薄田，逐年变卖，专门用来买书，期以十年，把书读通，这样也就势必破产。

从此，他不再纠结于昂贵的书价，买了许多大部头的书，一心一意完成自己的读书计划。

徐老始终把读书作为一种习惯，只要一有闲暇时间，他总是抓紧时间读书。在教书生涯中，他白天给学生上课，直到晚上八九点钟，即使这样仍要读上三个小时的书。平时走路，早上睡醒了天还没亮的时候，他也充分利用时间来读书。他的口袋里常常装着各种书册，学伦理学、学心理学，用他自己的话说："我的心理学、伦理学，都是选出中间的术语，抄成小本子，放在口袋里读熟的。"

活到老，学到老，不仅仅是学习上的坚持不懈，也是对新知识的不断探求。为了革命工作的需要，徐老始终保持着对新知识的渴望，以顽强的毅力和极大的学习热情不断追求进步，以便更好地为国家和人民服务。

在徐老四十二岁时，他怀着对新知识的渴求，不辞万里地前往法国勤工俭学，学法文，学科学知识。后来，当被问到为什么这么大年龄还来求学时，徐老认真地回答说："我今年四十三岁，不觉就到四十四、四十五，一混六十岁来了。到了六十岁，还同四十三岁时一样无学问，这十七年，岂不冤枉过了日子？这十七年做的事情，岂不全无进步了？到了六十岁时再后悔，那就更迟了，何不就从今日学起呢？"古稀之年，他仍然手不释卷，每天孜孜不倦地学习和工作，为此还制定订了一个"二十年学习和工作计划"。当后辈们劝导他"该享享福"时，他却认真地说："学问是没有止境的。要活到老，学到老，为人民服务到老。我还要用这有生之年，争取为党、为人民多做一点工作。"年届九十，他的记忆力大为衰退，却仍然坚持参加党中央召开的一切会议。为了克服年老记忆力衰退的困难，他把需要记住的用大字抄录下来，贴在办公室的墙壁上，以便能够经常默念。

徐老不仅自己爱好读书学习，也常常帮助别人读书学习，更是把

“活到老，学到老”作为良好的家风传承给后辈。

在家人中，徐老对徐乾的学习最为关心。徐乾原名刘萃英，是徐老次子徐厚本的妻子。在徐厚本病故后，徐老将她视为自己的女儿，为其改名为徐乾。徐老常常对徐乾的学习进行督促，这在家书中多有体现，他以自己的事例来告诫徐乾：“我每一分钟都发现自己学问不够，写文章不敢下笔……我读书和工作整个五十年了，还只一个半通，你比之我还有一个距离，但你的学习机会百倍于我。我希望你从今日起把学习列为正式时间，不缺一分一秒，但可把时间减到最少，哪怕一日从一刻到半点钟，只要有恒，一经决定决不中断，把它当做吃饭睡觉，除非有病决不中断。”他要求徐乾要坚持一个“恒”字，下定决心学习。不仅如此，徐老还亲自督促和教导徐乾读书学习，其渊博的知识让只读过两年半书的徐乾受益匪浅。

“恒”之一字，终究是学习应有的态度。只有始终保持对新知识的探求，才能保证不落后于时代，从而更好地为国家和人民服务。徐老正是通过言传身教，在这方面给后人树立了良好榜样，也培育了坚持学习的良好家风。

二、“保持和发扬小米加步枪的延安精神”

艰苦朴素是中国共产党人的优良作风，徐老更是其中的佼佼者。无论是在艰难困苦的革命岁月，还是在新中国成立以后，他都始终保持着艰苦朴素的生活作风，并且经常教育身边的工作人员和后辈，应该始终保持和发扬小米加步枪的延安精神，多想想人民的困难，少考虑自己的享受。中共中央在祝贺徐老七十大寿的信中就高度评价他：“你痛恨官僚主义和铺张浪费，你的朴素勤奋七十年如一日，这个品质使你成为全党自我牺牲和艰苦奋斗作风的模范。”

徐老艰苦朴素的品质自幼便已养成。当时的家庭环境和伯祖母的言传身教让徐老早早体会到生活的艰辛，铸就了他一生艰苦朴素的高尚品格。

徐老幼年时，家境每况愈下，生活日趋窘迫，大姐早早就被送给别人做了童养媳，大哥年仅十岁便跟着父亲下地干活，年幼的他在家照看妹妹。在延安的时候，他曾经讲过这么一段故事：自己八岁那年，家里到除夕之夜还没准备年货，父亲外出讨要工钱直到大年初一才回来，却两手空空，一无所获。兄妹几人就在北风呼啸、大雪纷飞中度过了一个难忘的新年。家庭日渐贫困，养着这么多孩子让徐家无能为力。恰好当时有一个本家伯祖父刚刚去世，膝下无后，徐老就被父亲送到五美山观音塘，过继给伯祖母做孙子。

祖母家小有薄产，靠收租生活，却十分节俭，善于治家。祖母虽然年老且病魔缠身，但头脑清醒，家里的每一件事都了如指掌，都有周密的筹划和安排。如柴米油盐等事，均要做好一年的准备，然后按月日分摊，不少亦不多。比方吃油，每盛一小壶，定期十日；穿的布鞋，每人要有两双，以一双备不虞；还有用的木桶和木盆，也有两套，每年轮流擦一次桐油，因此，这些在曾祖父手里置办的盆桶，一直用了几十年还没有坏。祖母自己更是十分俭朴，她的围裙，补丁之多，连原来的底布也很难辨认了。祖母不仅自己过着简朴生活，也对徐老严格要求。在夜晚，祖母不让孙子挑灯看书，理由是节约灯油，早晨却促其早起课读；晚上不许孙子外出串门，而是围在膝前听她讲高祖清贫、曾祖起家、祖父没落的故事。祖母的言传身教让徐老一生受益。几十年后，徐老曾满怀感激地说：“我受祖母的治家教育最深刻，我一生刻苦和我妻能在二十岁以后脱离我独持家政五十年，都和祖母的教导有关。”

徐老的艰苦朴素是党内外出名的。在抗战时期，徐老曾在长沙工作过一段时期，当时的他以朴素的生活风范，赢得了当地民众的普遍尊重，一些年轻人常常前来拜访他。即便是对共产党不太友好的报刊，也不得不公开承认：徐老住的地方陈设极为朴素简陋，他的个人生活甚是刻苦。徐老正是以这种艰苦朴素的风格，成为世人典范，被盛赞为“当今一圣人”。

在徐老后辈和家人的记忆中，徐老的艰苦朴素生活让他们记忆深刻，徐老对他们的教导仍历历在目，成为他们成长道路上不可或缺的一段经历。

新中国成立后，徐老把家人接到北京，但家里实在没地方住，拥挤的住所让孙女记忆深刻：“到北京以后，祖父一直和中共中央宣传部的部分工作人员住在一起，房子较挤，我们回家只好睡在办公室的地板上。”后来中央决定给他加盖几间房子，做接待、保存图书资料用。徐老知道之后极力反对，他说：“现在人民生活还有不少困难，我怎能为自己盖房子，花费人民的钱财呢？还是等将来生产、建设搞好了，人民生活富裕了再说吧！”虽然后来在相关部门的坚持下，还是盖了几间房，但建房费用却减到原计划的一半，以符合徐老一贯坚持节俭的原则。即使这样，徐老还是觉得花钱太多，尤其是窗帘布，不知道批评了多少次，他说：“窗帘能挡住光线就行，干吗要用这么好的东西做。当年我们在延安就没有窗帘，不是照样干革命嘛！可不能好了伤疤忘了痛，必须继续保持和发扬小米加步枪的延安精神。”

保持和发扬小米加步枪的延安精神，是徐老对自己的要求，也是对后辈们的叮咛嘱咐。新中国成立后，他依然戴着延安时期发的帽子，被子都是用旧棉衣上拆下来的棉花和土布做的，棉衣服穿了一年又一年，短了、破了就用布接上，补好又穿。要给他换一套新的，他总是说：“农民一件棉衣要穿十几年，甚至一代传一代，我这件还可以再穿几年。”他总是告诫后辈：“青年人任重道远，要继承的不是财产，而是前辈留下的尚未完成的革命事业”，“生活上的简朴，不仅可以省下钱来用于公共事业，更重要的是不脱离群众，锻炼人的革命意志，培养人的高贵品质，更加坚定自己为人民服务的思想”。他也经常教育身边的工作人员和后辈，不要让一滴水漏掉，不要让电灯闲照。

几十年艰苦朴素如一日，一生勤俭持家树家风。徐老年幼受教于祖母，养成了艰苦朴素的品质，一生坚守，言传身教，代代传承，艰苦朴素的良好家风就这样在徐老的家中得到了传承。

三、“每一日每一时都不要只为自己着想”

“每一日每一时都不要只为自己着想”，这是徐老对后辈们的谆谆教导。徐老希望他们多替别人着想，多为社会做些工作，而不要过多地想自己、想家庭。

“国而忘家，公而忘私”，这是近代以来无数革命先辈所表现出来的崇高品质。徐老多次和青年人谈及革命者公而忘私的优秀传统，告诫他们应该继承先辈未竟的革命事业，发扬前辈的革命精神。他对青年人说：“国破家何在。没有国，哪有家；没有公，哪有私；没有集体，哪有个人。”他说，老一辈革命者之所以值得尊敬，就在于：他们总是把革命利益放在第一位，从不计较个人利益和个人得失；他们考虑的不是从国家和社会那里多取得什么，而是自己能为国家、为社会贡献什么。青年人是充满活力的，正应在这个时候去为祖国建功立业，如果都只为个人打算，陶醉在小圈子里，那就不可能把革命事业推向前进。徐老饱含期待地对青年人讲：青年是老一辈的接班人，应该像老一辈那样有革命的志气，有远大的抱负，兴旺老一辈所创立的事业。

这不仅是徐老对其他青年人的期待，也是对自己儿女后辈的希望。在徐老的家庭中，从来都是要求后辈们不要把个人、家庭看得太重，不要只为自己着想，而应多为国家、为社会做贡献。

徐老的大儿子徐笃本，是中国共产党早期党员之一，大革命时期在醴陵、茶陵一带积极开展农民运动，为革命事业做出了较大贡献，由于积劳成疾，1927年病逝于长沙仁术医院，年仅21岁。更让人感到惋惜的是，徐笃本生前还没有成家，革命成了他人生的全部。徐笃本无私的付出来自于徐老的家教。他在学校读书时，也曾经有过成家的打算，别人给他介绍了女朋友，他也有这方面的意愿。但是在父亲那里却遭到了反对，徐老告诉他："你还年轻，应该为革命刻苦学习，在事业上打好基础，做一个有益于社会的人。要先想为社会出力，不能先安排自己的小家庭，如果大家都只顾一己之私，社会怎能前进呢?"徐老的话被儿子铭记在心，他后来参加农民运动，日夜为革命操劳，却从此没有了时间考虑个人问题。虽然徐老在后来的回忆中对儿子的牺牲感到十分痛苦，但是对于反对儿子结婚一事，却从不后悔，因为在他看来，年轻人就应该先公后私。

徐老的二儿子也同样在战争年代早逝，这更让徐老的内心满怀悲痛，但为了不刺激因大儿子逝世已受到打击的夫人，他始终隐瞒着这一消息，直到夫人去世。不仅如此，他还常常开导夫人：人的生老病死，都是自然的规律。儿女养育大了，就要让他们去干事业，为国家、为民族做贡献。他们在革命工作中，有时也会有牺牲，做父母的不能过于忧虑。要以国家和民族的事业为重，以天下的儿女为儿女。

徐老的孙女刚到北京的时候，就被爷爷送到学校过集体生活。但从未离开过亲人的她常常思念亲人，一到节假日回家便闹着不肯回学校。徐老就以自身经历来教导她：爱家是人之常情，1927年，我去参加南昌起义，当时长沙正在闹"马日事变"，白色恐怖笼罩，你奶奶和你父亲、姑妈留在乡下，我怕以后再也见不到他们，走时一再回头看。可见，家庭观念人人都是有的。他深情地对孙女说：“革命者不是不要家，但革命是一场你死我活的艰苦斗争，经过流血牺牲和艰难险阻才能取得胜利的伟大事业。无数的革命家庭，为革命作出了重大牺牲，不仅是我们的家，毛主席的爱人杨开慧和他的两个弟弟都为革命牺牲了，彭德怀同志的家人也被敌人杀害了，这种例子太多了。正是由于老一辈的革命者国而忘家、公而忘私的英勇奋斗，才有今天的社会主义新中国。这就是我们的革命传统，就是我们的家风家教，就是我们无产阶级的革命‘家谱’。你们要把它继承下去，一代一代地传下去，发扬光大。”徐老发自肺腑、扣人心弦的话，让孙女深受感动和启发，对家庭和国家有了更深一层的认识。

徐老从来都要求后辈，不要有特权思想，不要有优越感，不要脱离群众。他曾告诫女儿夫妇：“我希望你们每一日每一时都不要只为自己着想，上半夜想自己的困难，下半夜一定要想群众的困难以及政府的困难、机关负责人的困难。”他的一个孙女考上师范学校之后，认为师范出来后只能当老师，便想转学到张家口军事外语学院。徐老知道后，就告诉孙女：“当老师是很辛苦的，但也是很光荣的，我就是当教师出身的，而且从事了一辈子教育工作，对党对人民有利，这不很好嘛！为什么现在需要你的地方不去，而要走到别的单位去呢！你要克服不正确的思想，安心上师范学院。”他还严格要求自己的家人：“你们如果需要我党录用，那么需要比他人更耐苦更努力，以表示是共产主义者的亲属。”

一代圣人徐特立，万世师表传家风。徐老留给家人和后世的，不仅仅是他省吃俭用所存下的两万余册藏书，也不仅仅是他桃李满天下的美名，更是他“革命第一，工作第一，他人第一”的革命风范和家风传承。坚持学习、艰苦朴素、大公无私，这是徐老家庭的宝贵精神财富，也是中国共产党人的宝贵精神财富。

第十二章　吴玉章：事事莫争虚体面，行行当立好规模

创业难，守业更难，须知物力维艰，事事莫争虚体面；居家易，治家不易，欲自我身作则，行行当立好规模。

——吴玉章

“一个人做点好事并不难，难的是一辈子做好事，不做坏事，一贯地有益于广大群众，一贯地有益于青年，一贯地有益于革命，艰苦奋斗几十年如一日，这才是最难最难的啊!”这是毛泽东在吴玉章六十诞辰庆祝会上的祝词。这一祝词高度概括了吴老严于律己、艰苦奋斗，一辈子为国为民做事的高尚品质。

吴老是四川荣县人，出生于1878年的他早年受耕读传家影响，接受传统儒家经典的教育。但是，他无疑是时代潮流的追随者：中日甲午战争后，他是维新思想的传播者，一度被当地人称为“时务大家”；世纪之交，他追随留学浪潮，为寻求救世良方，负笈东渡；辛亥革命前后，他是同盟会早期会员，为革命斗争奔波操劳；五四时期，他接受马克思主义熏陶，最终确立了共产主义信仰。在几十年革命生涯中，他始终坚定理想信念，不慕功名利禄，克勤克俭，艰苦奋斗，为革命事业做出了重要贡献。同时，他以高尚的道德品质和革命风范，赢得了党内外人士的尊重，被尊称为“延安五老”之一，成为无数年轻人的楷模和典范。

吴老不仅在世人面前树立了榜样，也是后辈的革命引路人和人生导师。作为著名的无产阶级教育家，他不仅对高等教育有很多见解，对家庭教育也颇有心得。他认为，家庭教育是年轻一代教育中不可或缺的一环，教育子女是家长的天职。吴老在后辈教育中，积极践行其家庭教育思想，坚持宽严相济，言传身教，知行合一，从立志、学习到工作等不同方面对后辈的成长、成才进行了引导和教育。良好的家教树立了良好的家风。透过历史的镜头，让我们回味吴老的这些良好家风，留存一份宝贵的精神财富。

一、立大志，不二三其德

立志，向来是人生头等大事。每一个人在年轻的时候总是有着各种各样的志愿，有着不同的梦想，吴老也不例外。在他小的时候，父亲和兄长就教导他要做一个顶天立地有志气的人。父亲去世以后，大哥当家，当时家境困难，但大哥却告诉他，“哪怕家里吃搅搅，也要培养你成为个有志向的人”。在父亲的教育和兄长的引导下，吴老从小就关心国家大事，树立了雄心壮志。

吴老的志向从来都是为国为民的。中日甲午战争以后，随着中国的战败，亡国灭种的危机不断扩大，吴老便产生了救亡图存的志向。他成为维新运动中的“时务大家”，负笈东渡日本求学，参加辛亥革命，选择共产主义信仰，其背后都有着这种救亡图存的迫切愿望。范仲淹“先天下之忧而忧，后天下之乐而乐”的千古名句，是吴老志向的最好注脚。

吴老的志向从来都是不图名利的。武昌起义成功以后，他作为四川代表前往南京，有人就对他说：“你来晚了一步，若早来，怎么也有一个次长当的。现在部长、次长都安置了，内务部的司长、局长或是参事，你任便选一个吧！”吴老听了之后非常气愤，他说：“我们革命不是为了做官，你们且不谈这些吧。”南北合议成为定局时，总统府秘书处面临解散的局面，许多热心钻营的人见此便不愿前来秘书处工作，而吴老却为了革命的利益，欣然接受孙中山的邀请，前往秘书处收拾残局。这一段段历史，充分展现了吴老革命不为名、不图利，真正为国为民的志向，也成为他教育后辈的最好素材。

在吴老家里，他早年立志的事迹常常被拿来教育后辈。他的妻子游丙莲，常对他们的外孙、外孙女们说，你们的外公年轻时，就有远大的革命抱负，在儿女还小的时候，为了探索救国救民的道路，便毅然决然地背井离乡，远涉重洋，到日本留学，回国后，还常年在外，为革命奔走。这些教导，在孙辈们幼小的心灵上扎下了根，成为他们立志的榜样。

吴老也常常把自己作为教育后辈立志的榜样。在写给孙儿女们的信中，吴老用自己立志为国为民的例子，给孩子们上了生动的一课。他说："我是有雄心大志的，我从小就立志做顶天立地的人；我很庆幸能在党和毛主席的领导下学习到许多东西，能做一些工作，能够很好地为人民做点有益的事情，来达到我'先天下之忧而忧，后天下之乐而乐'的夙愿；我并无过人的特长，只是忠诚老实，不自欺欺人，想做一个'以身作则'来教育人的平常人。"这些话语朴实，却折射了吴老光辉的形象。

吴老也教导后辈们，不仅要立大志，而且要坚持志向，坚定理想信念。毫无疑问，他自己就是这方面的典范。毛主席在给吴老六十诞辰的祝词中，着重强调了他对革命的坚持性。他说："我们特别要学习他对于革命的坚持性，这是最难能可贵的一件事，这是我党的光荣，这是中国革命的光荣。"

吴老对革命的信念，对马克思主义的信念始终是坚定的。"决不会二三其德"，是他坚定理想信念的真实写照，这里面还有一段故事。1938年，在第二次国民参政会结束后，蒋介石邀请中国共产党方面的参政员"恳谈"，劝他们投入国民党。在劝说吴老时，蒋介石表示："你是老同盟会，国民党的老前辈，还是回到国民党来吧！”对于蒋介石的劝诱，吴老斩钉截铁地宣布：“我加入共产党是相信马克思列宁主义的科学真理，深知只有共产主义才是社会发展的唯一正确道路。对于这一点，我是决不动摇，决不会二三其德，毫无气节的！”把蒋介石驳得哑口无言。

吴老常常教导后辈们要坚定理想信念，要经得起考验，要有长期坚持奋斗的决心。侄孙吴本清在他身边做工作人员，他就告诫侄孙：“你必须记住，革命就是要有艰苦奋斗的精神，干革命必须具备三个心：一是决心，二是虚心，三是恒心。”在和孙辈们的谈话中，他用自己坚持革命几十年如一日的例子来教育他们。他说：“我毕生以来，认定什么是符合真理的，就要坚持下去，所以一时遇到失败，也决不动摇，我宁肯坚持斗争而死，也要使后人少一些障碍。”在写给外孙蓝其邦的信中，他告诫外孙要经得起考验，无论遇到什么困苦艰难都要努力为党为人民奋斗不懈，就是牺牲生命也在所不惜。

吴老也非常注意通过日常生活的小事来对后辈们进行革命情操和志向的教育。在全国抗战初期，他的几个外孙女在重庆等待前往延安的机会，期间陪伴吴老度过了一个暑假。在这段日子里，几个孩子为了纪念这段时光，每人买了一把扇子请吴老题字作为纪念。吴老为了教育他们，却让他们自己题上一句喜欢的格言。当他看到外孙女蜀平写的“有志者事竟成”时，非常欣赏，就考问她为什么写这句话，蜀平立即答道：“我们要去延安，现在碰上了困难，但我们不灰心，只要志向坚定，就一定去得成。”听了这些，吴老非常满意，他说：“回答得好，有志气。世界上要做成任何一件事，都要有不屈不挠的精神，志向坚定，奋斗不息，总可以达到目的。”正是通过这种日常小事，吴老对后辈们进行了立志的教育。

字字珠玑，句句入心，吴老以身作则，言传身教，为后辈立志和树立信仰作出了榜样，也培育了良好的家风。

二、学得一技之长，做有用之人

学习，是一个人进步的根本途径。《荀子·劝学篇》有云，“学不可以已”，就是强调人不能停止学习。只有在学习中不断更新自己的知识和思想，一个人才能不断取得进步。至于如何学习，学习什么，则仁者见仁，智者见智。在吴老看来，一个人既应该学习科学文化知识，掌握一技之长，又应该学习思想理论，改造世界观、人生观和价值观。吴老的这一教育观也融入到他对后辈的教育中，成为吴老家风的一部分。

要学得一技之长，做有用之人，这是吴老对后辈们的要求。作为发起人之一，吴老当年和蔡元培等人一道，在全国发起了大规模的留法勤工俭学运动，组织、吸引了一大批有志青年赴法留学，学习科学技术和文化知识。在这一过程中，他也动员了儿子吴震寰、侄子吴端甫赴法学习科学知识。两人正是在吴老动员下去法国分别学习了水电和冶金的相关知识，掌握了先进的科学技术，为国家建设做出了贡献。

吴老认为，既然掌握了科学知识，就要用在有用的地方。在延安时期，陕甘宁边区的钢铁工业建设面临着技术匮乏的困难，他就想到了自己的侄子吴端甫。他认为，侄子既然学习掌握了这方面的技术，就要为人民事业做点贡献，把这些技术用到该用的地方。在动员吴端甫来延安所写的家书中，他告诉侄子：“你学得一专门技能必须用于有用之地，方不负数十年的苦心。”在接连两封家书中，他都不断动员侄子前来延安参加钢铁工业建设，把他所学的一技之长用在人民革命事业上，发挥其作用。

吴老始终认为，只有学得一技之长，才能做有用之人。在给外孙蓝其卫的家书中，吴老要求他好好学习科学知识：你们今后要学专门科学，像你们八舅（吴震寰）一样掌握一技之长。不仅对后辈们这样要求，在他看来，青年们都应该学得一技之长，如此方能为祖国的建设事业做出贡献。在和青年们谈论学习问题时，他语重心长地说，你们应该学习文化科学知识，精通业务，这些知识和业务技能都是从事建设事业不可缺少的基础。他告诫青年人，无论从事什么工作，都应该力求提高科学文化素养，做到真才实学，成为内行。

掌握科学文化知识，是一个人成为有用之人的基础，而只有学习好思想理论知识，改造了世界观、人生观、价值观，才能够真正成为有用之人。

吴老特别注意启发后辈们思想改造的自觉性，要求他们努力学好理论知识。在延安时期，几个外孙女和他待在一起，他经常辅导她们的理论学习，常常利用周末的时间给她们讲历史、讲哲学、讲马克思主义基本知识。有一次，延安有个机关举办成吉思汗纪念会，请吴老去做演讲。他就先把讲稿念给几个外孙女听，然后向她们解释，共产党人为什么还要纪念封建时代的帝王。他说，对封建帝王要作分析，不能一概骂倒。有的帝王在历史上是起过进步的作用的，成吉思汗就是其中的一个。凡是在历史上起过进步作用的人物，我们都应当纪念他，这就叫历史唯物主义。他还告诉这些后辈，中国是个多民族的国家，在中国历史上，不只是汉族，其他民族也出了许多伟大的历史人物，对于有功于中华民族的历史人物，我们都应当纪念。1963年，《中国青年》杂志上发表了吴老一篇题为《做革命的接班人》的文章，他就买了四本，然后在每本上都签上他的名字，要求孙儿孙女们好好学习，做一个共产主义事业的接班人。

吴震寰、吴端甫都是在科学知识的学习上比较努力的，他们都成了有一技之长的工程师，为中国的水电、钢铁事业做出了不小的贡献，但是在理论和思想的学习上，他们都比较落后。因为思想上的认识不够，吴震寰没有认清国民党的真实面目，在新中国成立前夕被害身亡，令吴老痛失爱子。吴老对此颇有感慨，他说：“这就是没有提高警惕，也就是只专不红，为科学而科学，没有政治挂帅的惨痛教训。”他用吴震寰的例子来告诫后辈。吴端甫在新中国成立后继续从事钢铁工业建设工作，同时不断努力学习理论知识，力求提高自己的思想。当吴老了解到这些之后，对他的进步给予了大力表扬，他在家书中勉励吴端甫继续努力学习马列主义、毛泽东思想，从根本上改变旧的世界观和人生观，彻底把自己改造成为一个红色工程师。

既要学习业务技能，也要学习理论知识，这是吴老在青年学习上的教育主张，也是他对后辈们的严格要求。在他的不断督促和帮助下，孩子们树立正确的学习观，最终成为德才兼备的有用之人。

三、人生在世，事业为重

在吴老晚年，曾经写过两首自励诗，昭示了他事业为重、奋斗不息的工作精神。让我们来回味一下这两首脍炙人口的诗篇，瞻仰老一辈革命家的敬业风范。“人生在世，事业为重。一息尚存，决不松劲。东风得势，时代更新。趁此时机，奋勇前进。”在这首诗中，吴老明确表达了“事业为重”的人生抱负，“一息尚存”便“奋勇前进”的奉献精神。“春蚕到死丝方尽，人至期颐亦不休。一息尚存需努力，留作青年好范畴。”在这首诗中，他引用李商隐的千古名句，来表达自己虔诚地为人民事业奋斗，为青年人树立榜样的高尚情怀。他在年逾八十之时仍两次作诗自励，实为当代青年人的楷模和典范。回顾他的一生，这些都是他人生旅程的真实写照。

在延安时期，为了边区的文字改革事业，吴老每天呕心沥血地努力工作。在他身边工作的侄孙吴本清见他身体不好，又这样一天天劳累，很为他的健康担心，劝他注意身体、适当休息，他却说："你入了党就应该懂得，我们共产党员的一生一世，一定要做到生得有意义，死得有价值，一定要把有生之年丝毫不留地献给党的事业、献给人民。"在连续地劳累之下，吴老一病倒床，甚至一度病重休克，但是在病得昏昏沉沉的时候，吴老也不忘革命工作，他所想的、所说的仍是革命事业，不是念抗战，就是说团结，再不就是关心扫盲和新文字的事。吴老这些举动让吴本清深受教育，令他久久难忘。

新中国成立后，吴老依然把事业放在首位，努力地忘我工作。在后辈们的记忆中，吴老十几年如一日，整天都在工作和学习。他不抽烟、不喝酒、不打牌，学习和工作就是他唯一的嗜好。他每天六点钟起床，工作到深夜。在孙辈们和工作人员都已睡下之时，吴老的房间里还亮着灯，天天如此，年年如此，即使是在周末以及节假日，他也是学习、工作、参加会议。

吴老这种以事业为重的工作精神成了党内外的典范，真正地实现了"留作青年好范畴"的自我企盼。在家庭中，他也把自己这种敬业奉献精神传递给后辈，严格要求他们在工作上认真努力，处处争当模范。

吴老常常教导后辈，对工作一定要认真负责地做好，要以事业为重。在写给侄子林宇的一封家书中，他告诫侄子：你县各项工作都有初步的基础，现在最大的问题是今年各级人民代表大会的选举，尤其重要的是人口登记，这是最要紧而最难办的事，一定要把它办好。要认真切实，好好领导工作人员，一点不能马虎虚假。

吴老对每一个后辈的工作都给予细心地指导，帮助他们提高业务水平，教导他们要把工作努力做好。在家书中，大多是对后辈们认真努力工作的殷切期盼。譬如，在给侄子吴端甫的信中，他说：你们工厂的进步和今后伟大的计划，是中国工业化的基础，一定要完成这一伟大任务。在给外孙蓝其卫的信中，他告诫道：首先要把人口登记办好，要认真丝毫不苟且，踏踏实实地办事，这是破天荒的大事情，不可轻视。

吴老对后辈们要求很高，他觉得在工作面前，个人的得失应该放在次要位置。1950年，侄子林宇在自贡市第二区当区长，年轻干练，富有经验，是一个不可多得的干部。但是因为有耳疾，想前往北京治病。由于当时地方干部缺乏，人员紧张，川南地区领导不大愿意准假。吴老了解这一情况之后，就通过外孙给侄子转达了自己的意思，表示如果病还可延缓医治，就再过一段时间再说，应当以工作为先。1953年，外孙蓝其卫想进京学习，但当时正是各级人大代表选举的关键时期，工作忙，任务重，吴老就劝告外孙继续留在岗位上努力工作。

“创业难，守业更难，须知物力维艰，事事莫争虚体面；居家易，治家不易，欲自我身作则，行行当立好规模。”这是吴老故居里的一副楹联。这一副对联把吴老家庭的良好家风体现得淋漓尽致。同时，吴老积极践行事业为重，“一息尚存仍努力”的敬业奉献精神，真正成了以身作则的优秀榜样，在党内外树立了“好规模”。

吴老虽然没有太多的家书流传，但通过他为数不多的家书和后辈们的回忆，我们看到了他对后辈们的谆谆教导和积极引导。在这种家庭教育中，吴老把家教和国家事业相结合，从立志、学习到工作，引导和培养他们成为有用之人。吴老在家庭教育中所培育的这些良好家风，在我们今天的家庭教育中依然有着很好的借鉴意义，是培养新一代社会主义接班人的宝贵精神财富。

第十三章　谢觉哉：做官就要做『焦官』

你们会说我这个官是「焦官」。是的，「官」而不「焦」，天下大乱；「官」而「焦」了，转乱为安。有诗一首：你们说我做大官，我官好比周老官；起得早来眠得晚，能多做事即心安。

——谢觉哉

“常求有利于别人，不求有利于自己”，这是老一辈无产阶级革命家、政治家，我国人民司法制度奠基者之一的谢觉哉常常和身边工作人员、家人讲的一句话，也是谢老一生的真实写照。

谢老是清代科举秀才，早年在家乡从事教育工作，后来在何叔衡等人的影响下走上了革命道路，开始了“为党献身常汲汲，与民谋利更孜孜”的革命生涯。他一生甘做人民公仆，不谋私利，不图虚名，廉洁奉公，艰苦朴素，数十年如一日，为世人树立了良好的典范。谢老的一生，是忠于革命事业的一生，是当代中国共产党人应当继承的宝贵精神财富，尤其是他那甘做“焦官”的家风传承，更是值得一代代公职人员不断传承和发扬。

谢老的家庭是一个大家庭。在家中，谢老以身作则，以言传身教为儿女们立下了家庭规矩，树立了良好家风。不过，由于家庭人数较多，给谢老治家增添了许多难度，又因为异地而居，工作繁忙，也使面对面的沟通成为一种奢望。于是，一封封家书，成为谢老教育子女的主要方式。谢老的家书颇多，我们通过阅读这些家书，可以从中学习谢老的治家之道，感受谢老的良好家风。

一、“部长不是官”

谢老子女众多，他们有的在家乡生活，有的在北京生活，但不论生活在何处，谢老总是告诫他们要甘心做事，不走后门，不要有特权思想。

新中国成立以后，谢觉哉出任中央人民政府内务部部长的消息传到了谢老的家乡，让当地乡亲与有荣焉，纷纷议论说：穷山沟里出了个大官，真了不起。他的孩子这时候也觉得父亲当了大官，想跟着沾光，到北京来找个好前程。谢老知道了这件事之后，就给家乡的儿子们写信，告诉他们不要想着像旧社会一样做“官少爷”，搞特殊待遇，这是绝对不允许的。他说：儿子要看父亲，父亲也想看看儿子，这是人之常情。但是，你们现在很穷，也拿不出来路费。北方正在闹饥荒，我也没钱给你们。即使到了北京，我还得给你们弄吃的住的，非常麻烦。对于家人所希望的“搭便车”行为，谢老坚决回绝说：没有！告诉他们“任何人坐车，都要买票”。在这封信中，谢老还幽默地称自己是个“焦官”，也就是那种不挣钱的官，并且告诫儿子们：“官”而不“焦”，天下大乱；“官”而“焦”了，转乱为安，同时写下了那首有名的教子诗：“你们说我做大官，我官好比周老官；起得早来眠得晚，能多做事即心安。”谢老把自己比作家乡里勤劳做事的长工周老官，教育子女要甘心做事，不求高官厚禄，不谋个人私利。

廉洁奉公，甘心做事，是谢老一生的坚守。在他晚年的时候，即使卧病在床，他也始终心怀为国为民做事的伟大情怀。1963年5月26日，正在吃午饭的谢老突然半身瘫痪，从此开始了长达八年的病榻生活。医生要求谢老保持绝对的休息，但一生为国为民操劳的他却无法闲下心来。他一心想着自己的病赶紧好起来，再为国家多做几年贡献，以至于在梦里都感觉自己已经好了，凌晨写下一首诗来表达自己的这种心情："一梦醒来夜气清，晓风残月拂窗棂。临歧送病无佳句，杨柳依依唱渭城。"1965年，当他得知徐特立准备回家乡湖南养猪时，深有感触，用自己还能动的左手在日记本上写下了"九十高龄心有余，身闲不住待何如？老人又羡耕和读，想傍桑荫学养猪"这首诗，这既是对徐老的赞誉，也是他病魔缠身期间迫切想做事的真实想法。董必武当时最了解他的这种心情，曾写诗称道谢老："病鹤依巢思展翅，老骥伏枥想追风。"这就是一生为国为民，甘做人民公仆的谢老。

不搞特殊，不谋私利，是谢老遵循的原则。在新中国成立前夕，谢老就曾写信告诫儿子，自己决不为别人找工作、谋前程。他在给儿子们的家书中写道："革命了，世界变了，叫做工作，不叫'找事'。比如我在这当部长，不是官，公家只管穿、吃、住；小孩给津贴，上学不要钱；孩子的母亲，也得自己工作。"然而，一些家人却常想着借助谢老的权势走后门、谋前途，但最终都遭到了谢老的坚决回绝。譬如，他的一个儿子到北京准备谋取一份工作，在当时实际上可以安排一些轻松的工作，但谢老却坚决劝导儿子回家乡工作。他的妹夫也曾当面提出请他安排工作的要求，被谢老坚决地给拒绝了，他说："你要我安排你的工作，除非我回去当老百姓，你来当部长。"家乡亲人常常有各种事来麻烦谢老，但他从来都是公事公办，不给他们一点牟私的空间。至于那些想着找关系、走后门的家乡亲人，谢老都狠狠地教育批评他们，告诉他们"求学作工要靠自己"。

不仅对家乡人如此，对身边人也是同样要求。延安时期，一次，他的孩子们到机关小灶食堂玩耍，正赶上吃饭，管理员觉得就让小孩子吃一顿"小灶"也无妨。谢老知道后，坚决不同意，把孩子们打发回家吃饭，并告诫他们以后少去食堂玩耍。新中国成立后，谢老的一个女儿因为自己不动手，请别人买车票买了重票，遭到了谢老的严厉批评，他说："是我有警卫员害了你们，害了你们连车站的门向东向西和买票的排队情况都不知道。"为了防止孩子们产生特殊感，他从来不让孩子们坐公家给他安排的小汽车。

谢老廉洁奉公、不谋私利的言传身教，让家人们甘心平凡，勤劳做事。许多居住农村的家人一生扎根农村，安心务农，或者从事教育工作，其他亲人虽然身居城市，但也都是普通工作人员，没有"大官"。他们甘心平凡、无私奉献的品质，诠释了谢老甘做"焦官"的良好家风传承。

二、学习要谦虚，不要骄傲

谢老一生勤奋好学，工作再忙也要挤出时间来看书。爱好读书学习的他在家中也常常对孩子们的读书学习非常关注，谢老要求孩子们谦虚好学，不耻下问，遇到"拦路虎"要坚决啃掉。

自学是谢老告诉孩子们的学习方法。1953年，谢老的孙子写信向他询问养生之道、学习之法，谢老在回信中写道："自学是最好方法，有些科学，难于完全自己学到，但一般文化、常识，没有不可学到的。但也不要性急，要一点一滴的累积。农村的先生多，广大劳动人民是你的先生，报纸书籍是你的先生，问题只在你自己肯学肯想。"自学，是学习的良好方法，但这一方法建立在好学的基础上。谢老经常对孩子们说，学习只要用心，随时随地都可以学到东西，父母可以教给你东西，但主要还是靠自己学习，向老师学，向其他人学。他对孩子们讲，你们不是寄希望于人家多教你，而是自己该如何学习，不是看教的是什么人，而是自己想着该怎么去学。

学会了如何学习，只是掌握了一种方法，但是没有正确的态度，方法再好也是无用。自学意味着需要谦虚，如果认为自己什么都懂，也就失去了学习的动力。因此，谢老经常告诫家人，学习要谦虚，不要骄傲。他常常拿毛泽东“放下臭架子，甘当小学生”的格言来教导孩子们，他批评孩子们看不起学生和同学等骄傲自满的行为，劝告他们说：“你们接触的多是你们的老师或者同学，应该向他们请教，有什么不服气？这是极要改正的错误。”儿子谢飘在上大学之后，给谢老写信说立志有计划地读书，谢老回信对此进行了表扬。但是，他也告诫儿子：骄傲的帽子，一定戴不得。要牢牢记住毛主席“虚心使人进步，骄傲使人落后”的话。一定要保持谦虚好学的习惯，即使见地比别人高明，某一点比别人强，但总有不足之处。不足之处要向别人请教，既要向高于自己的人请教，也要向低于自己的人请教。无论何时，都要保持谦虚，你比别人强，要保持谦虚，这样别人才能信服你；你比别人弱，更应该保持谦虚，虚心好问，集思广益，补足自己的弱点。谢老告诉孩子们，骄傲是无论如何都不能有的，他说：“切不可认为自己正确就可以骄傲，或认为人家说我骄傲不要紧。要知道正不正确，在没有经过实践证明以前，谁也不能作最后的结论。”

读书学习难免会碰到“拦路虎”，切不可一知半解，谢老认为，读书不能似懂非懂，遇到难懂的就应该去克服困难弄懂它，这样才能进步。他在给孩子们的信中讲述了自己对时下青年们学习现状的担忧。他说，有的年轻人在读书、学习时遇到不懂的字、词、成语等“拦路虎”，往往不肯去翻字典、词典，或去问别人，来把这个“虎”啃掉，而是绕了过去，致使看的听的，似懂非懂。“虎”呢，这次拦路，下次还拦路。因此，他要求孩子们一定要注意这一点，看东西一定要看懂，遇到难懂的字或句子，也就是所谓“拦路虎”，一定要啃掉它。对于儿子认为读历史书籍晦涩难懂，想先从容易的开始这种请求，谢老进行了耐心教育。他说，在学习中，困难总是不可避免的，关键要看你有没有勇气去战胜它。碰到困难就回头，易事也会变成难事，学习是要费力气的啊！是啊，如果学习不花功夫，那么如何能取得进步呢？正是谢老的谆谆教导，让孩子们不惧困难，在学习上勇于迎难而上，成就了事业。

“学好归来日，接班有后贤”，这是谢老写给儿子谢列的两句诗，却也道尽了谢老对儿女们学习的期望。谢老以身为范，教导孩子们谦虚好学、不惧困难，培养了谢家良好的家风，比如谢老曾孙谢旭飞一生“不耻下问是常例”就彰显了谢家的家风传承。

三、“对人宽，对己刻”

“对人宽，对己刻”，这是谢老给孩子们的规训。

翻开历史书，当我们回望谢老的一生，他从来都是把宽人刻己落实到具体行动中，以身作则，影响着身边的每一个人。

在长征期间，谢老算是队伍中年纪比较大的，但从来都是和其他人一样急行军。他自己在很累的情况下，也从来不顾自己，而只关心别人，关心病员的伤势情况。中央给他安排的马，平时不是驮伤员，就是帮大家驮东西，他自己只有在实在走不动的情况下，才拉着马尾巴走一段。在当时艰苦的条件下，谢老总是苛求自己，在各方面委屈自己，把节省的药品、食物等留给伤员和其他战士。尽管自己很累，挨饿受冻，他仍然会帮助同志们渡过难关。谢老在长征中的种种言行举止，勾画了一幅幅感人的画卷。

全国抗日战争初期，谢老曾经在兰州搞统战工作。当时一起在那儿工作的伍修权后来对谢老这种宽人刻己的风范推崇不已。他回忆到，当时谢老对周边工作的同志，无论是战士还是干部，在生活上都高度关心，十分体贴，批评人也很讲究方法，耐心细致，以理服人，使接受批评的人都心悦诚服。他回忆说，谢老从来不考虑自己，他总是工作比大家多，休息比大家少，却和大家一样，从来没有提过半点特殊要求。

谢老永远都是宽以待人。谢老身边的工作人员都回忆说，他们从来没有见过谢老发脾气。别人找他，他不厌其烦；别人骂他，他浑不在意。有一次，一个干部骂了谢老，政法委员会党组要处分她。在征求谢老意见时，谢老却说："她骂我，我也没听到。一个人又为什么骂不得呢？"谢老注重以理服人，对犯错误的同志，他反复强调治病救人要以团结教育为主，不主张以惩罚作为唯一的手段，但对于自己，他却有着严苛的要求。他从来不搞特殊化，没有官架子，生活简朴，饮食、衣着和普通干部并无二致，平时经常跟群众打成一片，他始终把自己看成和群众一样，不但从不自认特殊，而且反对别人把他突出。

谢老自己是宽人刻己的典范，他也在家里教育孩子们朝着这方面发展，培育了良好的家风。

新中国成立前后，谢老的儿子谢子谷来信说有人得知他父亲当了大官，怕遭到报复，请他帮忙求情，于是写信给父亲询问该怎么办。谢老就写了一封信给儿子，告诉他，"背时的白眼，值不得记忆。革命，是使全体（绝大多数）人民翻身，不是哪几个人翻身的事。有些人不明了，说了或做了对不起人的话或事，只要他本人不是反革命，也就算了。人的度量要大，眼光要远，切不要骄傲，令人有现在是你们的势力之感"，教育儿子要待人以宽，不能睚眦必报。

不仅如此，他还对孩子们提出严厉要求，要他们工作在先，享受在后。1962年，他给孩子们写了一封信，告诫他们："我们是共产党人，你们是共产党人的子女。共产党是人民的勤务员，要帮助广大人民过好日子，要工作在先，享受在后，当广大人民还十分困难的时候，我们过着这样的生活，应该感到不安，而绝不应该感到不足。”他告诉孩子们，享受要和过去比，和广大人民比，不能超过群众，或超过太多。如果超过了，或超过多了，就要自己警惕。他对孩子们说，要把难做的事留给自己，易做的事留给人家，宁肯自己节省些，也要照顾别人的困难。

“愿速化为千广厦，九州男妇尽欢颜。”心怀天下，一心记挂着人民群众的谢老，对己苛刻，待人以宽，在这方面树立了良好的榜样。在子女教育上，他言传身教，耐心教导，让“对人宽，对己刻”的良好家风在谢家传承了下来。谢老的夫人王定国也深受谢老影响，对自己和家人苛刻，对群众热情。谢老去世后，按规定，王妈妈完全可以继续住原来的房子，但王妈妈却主动找到组织讲：“我不是遗属，我有自己的工作，我是什么级别就住什么房子！”随即退掉了秘书和司机，搬出了带院子的大房子。她为很多人写过推荐信，却从来没有在儿子谢飘考学、当兵、提干、复员直到退休的任何一个阶段为他说过一句话。

四、“不要做社会的寄生虫”

生而有养，养而有教，是谢老为父之道。虽然他对孩子们关爱有加，却也有着严厉的家教。比如，他要求家人不要做社会的寄生虫，要做自食其力的劳动者。

还是在延安时期，谢老收到了来自老家的信，妻子何敦秀向他倾诉家里生活种种，向谢老诉苦：孩子们只爱读书，不爱劳动，生活一年比一年艰难。谢老知道了这种情况之后，就给妻子写信支招，他说：“听说家里小孩子还只想读书，不想耕地，将来会更不得了。应该只选个把聪明的常读，假如都不聪明，各读几年就算了。”他对孩子们不想劳动的行为非常不满，告诉妻子要狠下心来让孩子们去学习劳动，无论是耕田、挖土、砍柴、拾粪，还是喂猪、扫地，样样都要干。他说，我不希望等我有一天回家，看见一群文绉绉的孩子，而愿意看见“挑得起放的落”粗手粗脚的孩子。他还告诉妻子，如果孩子们不愿意听他的话，那就是自己中了邪，应该重重的教训一顿。谢老把“重重的教训”都说了出来，可以想见他当时对孩子们不想劳动这种行为是多么失望。等到后来，谢老从家书中得知小女儿自己劳动养家之后，非常高兴，写信表扬了小女儿并且教育其他家人说：“靠遗产生活，是最没出息的人干的。现在国家提倡生产，不作兴这种人，这种人也必然没落。”

谢老尤其反对孩子们有好吃懒做的“二流子”行为，他时常教育孩子们要克服这种坏习惯，自食其力。他写信给孩子们，告诉他们说：“革命是整二流子的。除开老、小、残废，可得到社会照顾外，一切能做事的人或者劳力或者劳心，都不要做社会寄生虫，寄生虫是没有地位的。”他批评侄女谢谦芳“不安心煮饭带孩子”的行为，说：“不煮饭，哪有饭吃？不带孩子，人从哪来？这些都是顽固思想作祟。”他的家人认为他当了官就可以帮人安排不用劳动的轻松活，他对于这种行为作了严厉批评，给儿子们写信，教育他们：“不劳动想吃饭的路，已经堵塞了。你们以为我这里总可以找到饭吃，我这里不是劳动生产机关。”他在信中还告诉孩子们，我这里也有些孩子，我对他们说：满了十八岁，求学做工就要靠自己，父母管不了许多。他希望在家乡的孩子们都能够多参加劳动生产，做一个自食其力的劳动者，而不是成为社会的寄生虫。

早年时，谢老就觉得光读书不做体力劳动不是一条出路，就让儿子在家种田，让女儿学缝纫，总之都要劳动。但是，时间一长，谢老又总不在家，家里对劳动就不怎么上心，用谢老的话说就是“劳动观点尚不浓厚”。到新中国成立以后，孩子们仗着父亲当了大官，就更加不想劳动，而想着过不劳而食的生活。谢老听说后十分生气，写信告诉孩子们：“除老、小、残废不能劳动的外，其他都要劳动。不愿意劳动的，政府有法令一条，叫强迫劳动。叫你们向乡政府交出生产计划，定时向政府实报劳动生产情况。只有你们自己立起志气，肯劳动，才能解决问题，农会也会帮助你们。如果你们不改变，那是你们的事，由农会及乡政府督促你们，不要再写信给我了。等到农会与乡政府承认你们观点变了，生产很好，那时你们再与我来信。”又如，他在1955年写给侄女婿吴岂凡的信中，就对这位小学教员说，要鼓励中小学毕业没有升学的学生从事农业劳动，他们有相当文化程度，在发展农业上很用得着他们，要打破他们读了书就不想“作田”的不良习气。

“读书、学文化，为的是劳动生产”“从事生产劳动，就是为人民服务”，这是谢老在家书中不断灌输的思想理念。不从事体力劳动却想不劳而食，在谢老这儿根本行不通。无论是家乡的子孙，还是身边的儿女，谢老都要求他们自食其力，不依赖别人，不做社会的寄生虫。这种优良的家风，让谢老家乡的亲人深受教育，甘心做平凡的普通劳动者，也让谢老的儿女学会了自强自立，不依靠父母的关系而独立打拼。

谢老是一代共产党人的楷模，也是儿女的榜样。他以身作则，培育了良好的家风，影响了一代又一代。正如谢老的儿子谢亚旭所回忆的：“家对我父母来说，是一个大家。虽然我们与父亲聚少离多，但这个家，父母以身作则的教育却让孩子们受益终身，并影响到我们的下一代。”

1945年12月15日，抗战胜利后，谢觉哉写了一首《沁园春·为诸孩》：

三男一女，飞飞列列，定定飘飘。记汤饼三朝，瞳光灼灼；束修周载，口辩滔滔。饥则倾饼，倦则索抱，攀上肩头试比高。扭秧歌，又持竿打仗，也算妖娆。

一群骄而又娇，不盼他年紫束腰。只父是愚公，坚持真理；子非措大，不事文骚。居新社会，学新本事，纵是庸才亦可雕。吾衰矣，作长久打算，记取今朝。

诗以言志，这是谢觉哉家风的真情流露，从中可见谢觉哉对子女的关爱、教育以及殷殷期望。

第十四章 董必武：甘当『配角』，朴诚相传

不许向地方上要东西，不许假借自己的名义在任何部门搞特殊化，不许接受礼物。

——董必武

“延安五老”之一的董必武，出身于书香世家。在他出生时，家里三十多口人共同生活，相互扶持，践行着清贫自守、朴诚相传的家风家训。朴诚的家风深深影响了董老的一生。在创办武汉中学时，董老曾以这一祖训为基础，为武汉中学定下了“朴、诚、勇、毅”的校训，期望学子们能够做到朴素、诚实、勇敢、坚毅，而如今这一校训也已融入到红安文化、红安精神的方方面面，成为红安人安身立命的品格之一，彰显了好家风无与伦比的魅力。

董老的一生是董家朴诚家风的写照。作为党的“一大”元老、党内元勋，在人们的印象中，他是德高望重的老一辈无产阶级革命家，是中国共产党的创始人之一，身居高位，功勋卓越。但是，董老却从不以党和国家的“元老”自居，而是称自己是“配角”“跑龙套的”，从各方面严格要求自己。这正是董老朴诚家风的最好注脚。他不仅严于律己，以身作则，也在学习、生活、工作等各个方面对妻子、儿女、亲友及身边工作人员严格要求，培养他们艰苦朴素的作风，养成勤奋学习、努力工作的习惯，绝不允许有任何特殊的行为，将董家一脉相承的家风家训发扬光大。

一、“学要有恒，尤要专心”

重视学习，历来是家庭教育的重要内容。翻开历史的画册，无数先贤无不重视对子女家人的劝学之道。董老一生以读书为嗜好，也把孩子们的学习视为家庭教育的重中之重，对孩子们的学习抓得很紧，在家书中反复嘱咐他们提高认识、珍惜时间、注意方法，努力把成绩搞好。

众所周知，董老曾是晚清秀才，这在老一辈无产阶级革命家中并不多见。董老出身贫苦的知识分子家庭，父亲和四叔都是远近闻名的秀才，这为董老读书学习提供了良好的家庭环境。但是清贫的生活，也让董老从小就饱尝艰辛，读书学习自然十分刻苦。当时，董老主要跟着父亲或四叔在他们教学的学堂读书，但他们教学的地方却常常变动，年幼的他便不得不早早过着颠沛流离的读书生活。艰苦的读书环境造就了董老勤学苦读的良好品格，也让他早早就功名在握，十几岁便考取了秀才。虽然，董老在考取秀才之后不久便投身革命事业，但是勤奋好学的习惯却从此养成。正如他常常讲到的，“有学而不能者，未有不学而能者”“人一能之，己十之；人十能之，己百之，这是我的学习信条”。

董老不仅自己勤奋好学，也十分关注孩子们的学习。董必武与何连芝1937年在延安结婚，育有三名子女，董良羽、董良翚、董良翮。三个名字都带“羽”字，寄寓着董必武对子女志存高远、为国家做贡献的期待，1963年1月28日他还专门写了首《字三子》诗：“蓄势如鹰隼，奋飞健翼张”“武能御外侮，斯文亦在兹”“如鹏飞有意，标指向天津”。也正因为寄予厚望，他对孩子们的读书学习等要求都很严格，在写给孩子们的家书中，时常可以看到董老对他们的谆谆教导。

儿子董良羽刚到哈尔滨军事工程学院读书的时候，给董老写了一封信汇报情况，董老给他回了一封家书，核心内容就是对儿子的学习进行教导。他在信中写道：“你在学校尚未决定之前，在招待所住着，时间切记不要浪费掉，要自己找点什么东西自修，找点自己最缺乏的东西自修。自修中遇到不懂的地方记下来，你们同住的人研究，有可以请教的人就向他请教，学问学问，问是学的不可缺的要件。”这是教导儿子要谦虚好问、勤奋好学。当然，董老也提到，好学苦读，并不意味着要一天到晚都要学习，而是要劳逸结合。他说：“我劝你不要浪费时间并不是想你一天到晚啃书本本。不是的，人的生活一天应有学习或工作时间，也应当有休息和娱乐的时间，只不要把应当学习或工作的时间被休息和娱乐所占去罢了，反之，也是一样。”一封家书道尽了读书学习的至理，也折射了董老在学习读书上的家教。

董老的另一个儿子董良翮年少贪玩，不爱学习，董老就常常批评他。他对儿子说：“你过去毛病不少，贪玩，不好学，是主要的毛病，这两点改好，逐渐把其他的毛病，如自满自夸、说泄气话等等都改掉，争取成为校中的三好学生。”他认为，儿子的这些毛病必须改正过来，要从不贪玩、专心听课开始改正，才有进步的希望。为了督促儿子学习，他还给儿子写下了“学要有恒，尤要专心”的座右铭。

董老不仅要求孩子们勤奋好学，也要求他们掌握好的学习方法。在董老写给孩子们的家书中，大多提到要他们注意求学的方法。他总结自己多年的学习经验，提出了一个好的学习方法。他说：“最要紧的是听讲课时精神要集中，听老师讲；下课后争取时间复习课文，有疑问时记下，问老师和同学。总之，要在一段学程内学得一点什么东西。”对于孩子们心里存在的对这种学习方法的抵触，董老要求他们可以先按照这种学习方法试一试。他说，“一个学期学多少东西是学校规定了的，学生根据自己的精力怎样学到手，其间是有一个方法问题”，让孩子们在学习实践中尝试用有效的方法学习。

勤奋好学是董老一生的坚持，也是董老对孩子们的严格要求，学习方法是董老一生的经验总结，也是董老给孩子们的有益帮助，而一句“学要有恒，尤要专心”的座右铭，更是董老对孩子们坚持学习的殷切希望。正因如此，勤奋学习的家风得以在董老后辈中不断传承，成为董老家风传承的一个重要部分。

二、民生在勤，性习于俭

“民生在勤，勤则不匮。性习于俭，俭以养廉。”这是董老在新中国成立之初立下的座右铭，如今刻在了湖北省红安县的董必武纪念馆内，以供后人瞻仰。董老以此自勉自励，践行着家族“清贫自守，朴诚相传”的家风家训，也以此严格要求家人。

在董老几十年的革命生涯中，勤俭是他始终如一的坚守。

全国抗日战争爆发后，董老在国民党统治区从事统一战线工作。当时，他身边的一些工作人员提出，应该在穿衣打扮上尽量和国民党政要保持一致，不至于特别寒酸。董老就语重心长地告诫他们：共产党人是要干革命，而不是要讲阔气。我们每花一分钱，都要想到解放区人民的艰苦生活，想到敌占区人民逃荒要饭的惨景。董老总是秉持能省就省的节约精神，把党和国家交给自己的每一分钱都花到革命事业上来。在那段时期，还曾发生过一个“六角钱”的故事。在当时，重庆八路军办事处的账务都由董老掌管，为了花好每一分钱，董老精打细算，严格管控。有一次，在月底的账务审核中，董老发现伙食费多支出了六角钱。这让董老十分自责，他说：“我们党的经费来得不容易，每分每厘都是同志们用血汗甚至生命换来的，我们只有精打细算的责任，没有浪费铺张的权力。”对于这次六角钱的多余开支，董老在办事处机关大会上进行了自我批评，并写信向党中央作了检讨。时隔多年以后，一些当事人都还能够记起这段六角钱的往事，对董老的这种精神无比敬佩。6角钱，在当时是一个什么概念呢？举个比较直观的例子，1942年的《晋察冀日报》每份定价1角，1943年每份定价2角，也就是说，6角钱仅仅是能买几份报纸的钱，但董老却为此向党中央提交了检讨信。

这种节约的事情绝非鲜见，而是在董老的生活中经常出现。1945年，董老前往美国参加联合国制宪会议。作为中国代表团成员之一，他获得了一笔较为可观的置装费、生活费和交际费，但一向秉持勤俭节约、艰苦朴素原则的董老，在花销上精打细算，节省下了一大笔费用。根据儿子董良羽保存的一份董老的《赴旧金山会议收支账目》来看，董老共节省了约1260美元的生活费、200美元的交际费和1080美元的置装费，共计2540美元。这是一笔可观的费用，而董老将这些钱和其他一些捐款合在一起，购买了打印机、印刷机等一批急需物资，捐献了出去。而董老个人，即使用的毛巾发黑洗不干净了，也没有想到去买一条换掉，这就是董老艰苦朴素的高尚品质。

董老一生以勤俭为本色，自然而然地也将这种精神传承到家庭中，他常常教育家人要秉持勤俭节约的良好习惯，保持艰苦朴素的优良作风。

女儿董良翚至今仍记得父亲教导她“粒粒皆辛苦”的事。在她小时候，董老常常在吃饭的时候拿《悯农》这首诗来教导孩子。一次吃晚饭，在女儿三扒两赶地几口把饭吃完，丢下碗就往外走的时候，董老在后面叫住她，说：“你看看，碗里、桌上有多少饭粒？粒粒皆辛苦，粒粒不能丢！”并且严肃地要求她把饭捡起来吃了。对于当时的情景，董良翚后来回忆说，当时对此十分抵触。但当她后来亲身体验种稻的辛苦之后，终于明白何谓“粒粒皆辛苦”，对父亲的教导也有了更深的体会。

新中国成立以后，生活条件不断得到改善，但董老从来不允许家人浪费一张纸、一把牙刷，要求他们坚持节约的习惯。他常常和家人讲：“一支笔，一片纸，一把牙刷，不值多少钱。可是，我们是个几亿人口的大国，每个人浪费一点，几亿人加到一块绝不是个小数。社会财富，大家爱惜呀！”为了让孩子们养成节约的习惯，董老还要求他们用钱必须记账，他对子女们说：“要求你们用钱记账，不简单是怕你们多花了钱，而是要胸中有数。这样做，养成习惯，将来为国家、为人民服务，要用钱的时候，就会从实际出发，不至于专从需要方面着想而要顾及可能了。”

“一粥一饭，当思来之不易；半丝半缕，恒念物力维艰。”朱柏庐这句治家格言道尽了勤俭节约的精髓。董老一生秉持克勤克俭的精神，言传身教，谆谆教导，坚持和发扬家族朴诚祖训，将“民生在勤，性习于俭”的家风传承了下来。

三、严守规矩，约法三章

身居高位却不以权谋私，老一辈无产阶级革命家让人敬佩的一面就在于他们严守党的规矩，不搞特殊化，对身边人也是如此要求。董老在党内享有崇高的地位和声望，但他从来都不通过个人关系办私事，而且经常教育身边的工作人员和家人绝对不能以他的名义谋私利，搞特权。

早在1927年，董老在湖北从事革命工作，身居要职，有个叫黄瑞存的亲戚来武汉找董老给他安排工作，董老却告诉他，“你是一个很好的劳动力，适宜到农村种田，要我介绍工作，我就介绍你回黄安去种田”，之后就把他劝了回去。之后，凡是家里的亲人要求找工作，他都坚决劝他们回去做工种田，或在本地工作。有的人就很不乐意，私下里说：“过去我们姓错了一个董字，受尽反革命派的压迫，现在他有了办法，也不给我们想点办法。”对此，董老坚持原则，耐心解释劝导，从来不徇私迁就。

新中国成立以后，许多亲戚看到董老在北京做了“大官”，就写信给董老请求照顾。对此，董老一律坚决拒绝，并写信对他们进行谆谆教导。

董老的一些侄子们想要董老帮忙安排工作，董老连续写了两封家书告诉他们：“大家都很艰难，应该把生活艰难看成一个较普遍的现象，而不是我家独有或特有的现象。”关于侄子们找工作的请托，董老也告诉他们，做工作不是做官，任何人都需要劳动，通过劳动来谋生，不劳动就没有饭吃，他说，“目前在社会上有正当职业的人，应当安心从事于其原有的职业。没有职业的人，应从劳动方面去找职业”，并告诫侄子们，不要想着过寄生生活，那是不可能的。

外甥王俊山想请董老帮忙调动工作，董老就写了一封信给他，告诉他：“你如果是青年团员，想调动工作，应向团请求，不应向我个人请求。”他说，现在中央正在裁减冗员，想凭借私人关系，以介绍方式去找工作，那是直接违反中央政策的。他对外甥的错误想法进行了批评，对他说：“去年信中批评过你哥哥的错误想法，那时他就是想凭借我的力量去找较好的事情。你这次信中的提法和你哥哥去年以前的想法差不多，是错误的。”他语重心长地劝告外甥说，革命是为人民谋利益的，决不应该把革命作为谋求个人利益的手段。

其他一些亲人也纷纷找董老解决各种问题，有侄女要求介绍到北京上学，有的请求批供物资，等等。对于这些请求，董老都耐心教育，一一谢绝，对于合理的请求，董老也劝导他们应该通过自己所在单位的正常途径申请解决。后来，由于亲戚好友请托太多，董老干脆写了一封通函，打印出来分别寄给家人和亲友，对他们事先进行教育。

对身边工作人员，董老也有着严格的要求，他有个著名的“约法三章”：不许向地方上要东西，不许假借自己的名义在任何部门搞特殊化，不许接受礼物。每逢有新的干部分配到他身边工作，他都会当面申明这三条规矩，并严肃地说：谁违反了我送谁去公安局。

对家人，董老更是严格要求，从来不搞特殊化。1969年，儿子董良翮被董老要求到农村去插队。临行前，董老对他万般叮嘱：“你是革命的后代，要严格要求自己，生活上要艰苦朴素，和群众同甘共苦，决不能高人一等！”董良翮到农村后不久，地方上就要发展他入党。当董老听说这个消息后，认为，“不能因为他是我的儿子，就这样快地吸收他入党，一定要让他再磨炼一个时期才好”，并让妻子何连芝写信给那里的党组织说明这个意思。过后，他还是放心不下，又让何连芝亲自去晋县向当地同志再三强调：千万不要因为孩子是干部子女就讲情面，要严格要求，只有真正具备了共产党员的条件，才能吸收他入党。

对儿子如此，对白头到老的妻子也是如此。1965年，董老担任最高人民法院院长的职务。这一年的国家机关干部调整级别时，何连芝也在名单上。她1933年入党，是一位老红军，土地革命时期打过仗，负过伤，参加过长征，在陕甘宁边区做过基层政权工作，抗战时期跟随董老在武汉、重庆、南京、上海等地工作。新中国成立后，她在自己的工作岗位上任劳任怨，尽心竭力做好工作。在原来的级别上提一级完全合情合理，名单经由最高人民法院党委讨论通过后，送到了董老处做最后决定。当董老看过名单以后，对其他同志提级均表示同意，却唯独把妻子何连芝的名字勾掉了，他还特地找有关同志强调说：“何连芝的级别不要提了，还是先提别的同志吧！”

些许小事，却是董老从严治家的真实写照，也彰显了董老不搞特殊化，不以权谋私的高尚品格。正是在董老严格的要求下，董家几代人始终把“规矩”放在心上，把朴实的家风贯彻到生活中。

四、“政府干部都是长工”

“新功未建惭高座，老本无多啃早完。如驽马将长恋栈，得栖梧意学鸣鸾。”这是董老在1970年4月写下的一首诗，他用驽马自比，对自己身居高位感到惭愧不已。董老虽然功勋卓越，位居高官，却始终以党和人民的“老牛”自勉。他对家人说：“我好比一块补丁，哪里有洞洞，党要我去补，我就去把他补起来。”他还以演京戏要有“主角”“配角”和“龙套”为例，指出：干革命也一样，要认真把各项工作做好，不论是当主角还是“跑龙套”。他说：“人民是主人，而政府干部都是长工。”长工就是为了主人家工作，董老将干部比作长工，恰恰反映了他始终将自己视为人民公仆，甘为人民服务的崇高风范。

董老任劳任怨，甘于奉献的革命风范，也是我们这个时代应该大力弘扬与传承的优良传统。而这种风范的传承，又寓于老一辈革命家的家风家教之中。董老正是通过言传身教，将这种优良传统传承给家人，塑造了良好的家风。

新中国成立初期，董老与家乡的亲人互通家信，共诉亲情。在一封家书中，董老对弟弟董献之进行了一番教导。他知道弟弟在商业厅工作之后，就告诉弟弟，要多读点革命书籍，好好学习革命思想和作风。他说，简单一点来讲，就是要学习脚踏实地的工作和老老实实为人民服务的作风。他的一个堂弟在家乡从事农业生产，想到北京发展。董老就告诫他说：“革命的目的是求得人民的解放，特别是工人农民劳苦大众的解放。”他对堂弟说：“你现在农村居住，又认识字，容易知道上级政府领导人民做什么，应该好好地帮助当地人民完成上级所号召的任务，可能争取作一个模范，好好服务当地人民，而不应该抛弃工作已有根基的地方来北京发展。”董老从来都是期待家人能够始终把为人民服务作为准则，甘于奉献，甘为公仆。

革命工作就是为人民服务，这是董老一生的认识，一切不符合这一原则的行为，在他看来都是不值得提倡的。因此，当几个堂侄想求点能够有较高薪水的工作时，董老十分生气，写了一封长信对他们进行了批评。信很长，首先说起了这件事的起因，董老帮着两个失业的侄子介绍了工作，是供给制的，但是他们都不满意，和董老说："个人吃点苦不惜，只求得到点劳动的报酬品，去接济家中老小生活。"董老对他们的这种思想很是不满。他告诉侄子们，现在绝大多数政府工作人员都是供给制，很少有人能够特殊。至于家中老小生活，这是普遍存在的问题，现在还没法解决，主要靠自己从事生产。对于他们想以劳动换报酬的想法，董老进行了严肃批评，他说："革命工作是为人民服务，不讲报酬的。你想以劳动换得报酬品，意思就是说你要出卖你的劳动力，那么，你们就到劳动力市场去卖去吧。"接下来，他又从社会层面出发，对两个侄子进行了教育，告诉他们，解决家庭生活困难的心思可以有，但是应该看到，这不是某个个人问题，而是一个社会问题，正因如此才应该参加革命，努力生产，那样，人们才不致有家庭贫困的忧虑。他认为，革命工作人员是个光荣的称号，不是初进来的人就能够马上获得的，而应干上一个时期才能配得上这个称号，要求两个侄子应该努力朝着这个方向前进。

对弟弟、侄子如此，对子女也是如此。董老经常以共产党员的高标准来教育要求子女。譬如，他常常教导家人："要做自食其力的老实人""为人处世要吃得亏""要学会跑龙套"等。当知道在农村插队的儿媳顿云润入党之后，董老写信告诉她："你应当仔细想想党员和非党员有什么不同。我们想，党员对革命要自觉地负责任，要关心全社的革命问题，要关心全县、全区、全省、全国的革命问题，还要关心全世界的革命问题。要自觉地遵守党的纪律。要自觉地学习马列主义，毛泽东思想，改造自己的世界观。”他还常常告诫子女，担负一些领导职务，就要担负起应有的责任，职务越高，责任越大，因此要经常想想自己能不能担负起这份责任。

“半生戎马为人民”，“甘为民仆耻为官”，这是董老在朱德六十诞辰贺诗中的两句，却也道尽了董老甘为公仆、甘于奉献的革命精神。董老将这种革命精神传承给家人，给后辈们树立了光辉的榜样。

以身作则行为范，朴诚相传好家风。董老功勋卓越，为国家人民事业做出了卓越贡献，他的功绩值得人们铭记，他的道德风范和精神品格也值得人们学习。董老在家书中传承、在家教中培育的良好家风，是一份珍贵的精神财富。在董老逝世一年以后，他的妻子何连芝在给侄孙董绍胜的信中说道：“我在海南岛与你谈话中列举了你三爹生前所指教的，‘要把自己当作一块破布一样，党需要把自己补在哪里，那就在那里起到补丁的作用。’这一席话，你能记住，并照这样去做就很好。”

第十五章　方志敏：忠党爱国，清白家风

我从事革命斗争，已经十余年了。在这长期的奋斗中，我一向是过着朴素的生活，从没有奢侈过。经手的款项，总在数百万元；但为革命而筹集的金钱，是一点一滴地用之于革命事业。这在国民党的伟人们看来，颇似奇迹，或认为夸张；而矜持不苟，舍己为公，却是每个共产党员具备的美德。……

清贫，洁白朴素的生活，正是我们革命者能够战胜许多困难的地方！

——方志敏

“我多次读方志敏烈士在狱中写下的《清贫》。那里面表达了老一辈共产党人的爱和憎，回答了什么是真正的穷和富，什么是人生最大的快乐，什么是革命者的伟大信仰，人到底怎样活着才有价值，每次读都受到启示、受到教育、受到鼓舞。”这是方志敏烈士就义76年后，习近平在中央党校秋季班开学典礼上的深情讲话。这一讲话高度评价了方志敏烈士忠于党与国家的事业，为革命奉献一生的高尚品德。

方志敏是江西弋阳人，自幼成长于赣东漆工镇湖塘村方家宅院，接受旧式的私塾教育，读“人之初”“赵钱孙李”“子曰学而”“孟子见梁惠王”等儒家经典。但是，他见多了乡民的苦难和旧社会的不平等，逐渐产生革命思想，并终其一生为劳苦大众的福祉而奋斗。虽然身居高位，方志敏仍始终保持“清贫”本色，将一切奉献给了革命事业。他不但严于律己，也严格约束家人，将清白家风传给了后人。妻子和子女都深受方志敏式的生活影响，甘于清贫，乐于奉献，在平凡的工作岗位上发挥光和热。

方志敏被捕后，在监狱里先后写下16篇文稿，共14万余字。这其中有《清贫》《可爱的中国》等著名文章，读之感人肺腑，令人动容。这份宝贵的精神遗产让我们有幸了解方志敏的家风遗训，也可以传承革命先烈的良好家风。

一、"对祖国深深的爱"

自古英雄出少年。方志敏从小就是一个有理想、有抱负的年轻人。

"我方志敏誓死打倒日本帝国主义，为中国的独立解放而斗争！"方志敏在传统文化熏陶和学校科学知识教育下"知识渐开，渐渐懂得爱护中国的道理"，深感"天下兴亡，匹夫有责"。17岁的方志敏时常设想从弋阳县立高等小学毕业后要"投笔从戎"；时常设想开办实业，"实业救国"。救国救民的梦想盘踞在少年心头，"愈想愈觉得津津有味，有时竟想到几夜失眠。"消灭一切邪恶势力，挽救祖国危亡，成为方志敏抹不去的心愿。尽管这颗爱国的赤子之心尚存稚气，然而正如他在《可爱的中国》中所说，当时他的爱国热忱"真如一个青年姑娘初恋时那样真纯入迷"，并认为"中国是无地不美，到处皆景，自城市以至乡村，一山一水，一丘一壑，只要稍加修饰和培植，都可以成流连难舍的胜景，这好像我们的母亲，她是一个天姿玉质的美人，她的身体的每一部分，都有令人爱慕之美。"

有爱就有恨，方志敏在九江教会学校就读期间，特别讨厌趋奉洋人，非常鄙视动辄在洋人面前口称"Yes！"有一次，方志敏盘问一位喜好趋奉洋人的同学。那同学答道："倘若谁得到洋人的欢心，在校可望免费读书，毕业之后，如搅得好的话，还可以在洋人帮助之下，留学美国呢！"面对这样的同学，方志敏十分痛心，于是在他的"读书会"中，努力向同学宣传中国人当有志气，不能为个人的荣华而丧失人格、国格。他在回复一位同学的信中表示："读书不成，只因家贫，但因家贫而无受牧机会的人，在中国可止千百亿万？无论如何，我是不会相信基督教的，现在，我也不愿再读那些无意义的书，我要实际的去做革命工作了。"1922年夏，方志敏因不信基督教，自动退学，赴上海追寻自己的报国理念。这是方志敏人生中一次很重要的经历。在上海，有一次，他和几个朋友相约去游法租界的公园，刚到门口就看到一块牌子，写着“华人与狗不得入内”，方志敏顿时全身发热，满脸通红，感到从未受过如此耻辱。这更加坚定了他为中华民族解放而奋斗的决心。

方志敏的爱国之情是不惜生命的。1918年，北洋政府承认山东的特权阶层投靠日本帝国主义的行为激起了极大民愤，方志敏和全校爱国师生声讨无耻的卖国行径，方志敏在大会上慷慨陈词：“这个日本狗强盗野心像饿狼，《北京专约》吞并琉球；甲午之战又夺去我辽东、台湾和澎湖列岛；现在又提出‘二十一条’，想进一步亡我中华民族，我们要打倒日本狗强盗，打倒曹汝霖、章宗祥、陆宗舆这伙狼心狗肺的卖国贼！我们每个有良心、有民族热血的青年学生，都要赶快觉醒，立即行动起来，反对国贼，抵制日货，挽救国家民族的危亡，决不让国土沦丧，决不让自己和子孙后代做亡国奴……”除了语言的誓言和反抗，他还率领同学们一起抵制日货，销毁手中的日货。爱国心燃烧着他，他说：“我明知销毁这些东西，以后就难得钱再买，但我为爱国心所激动，也就毫无顾惜地销毁了。我并向同学们宣言，以后生病，就是会病死了，也决不买日本的仁丹和清快丸。”爱国不惜生命，这不仅是方志敏本人贯穿一生的信念，也引导着他的妻子和儿女。

1953年，方志敏唯一的女儿方梅上四年级了。妻子缪敏把方志敏的《可爱的中国》送给方梅，这是方梅第一次了解自己的父亲。读过书后，方梅被父亲爱国之情深深打动，她说：“很快我就被书中的内容所吸引，尽管有不少字不认得，但什么叫祖国，以及父亲对祖国深深的热爱，在我的思想里引起很大的震动，得到前所未有的启示。”为了传承父亲的遗志，传承父亲的爱国精神，她不分昼夜，勤勤恳恳，写成《方志敏全传》。直到现在，每当回忆起父亲，方梅常常反问自己：“父亲最后时刻想了些什么呢?”经过多年追寻父亲的遗迹，她理解了父亲的革命人生和爱国的拳拳之心，她终于明白“那几分钟里的思绪，父亲想的肯定是他梦中的新中国”。

二、铁面无私，忠于革命忠于党

1924年是一个特殊的年头，这一年追求真理、志于救国的方志敏与中国共产党相遇了，方志敏没有一丝犹豫，他深知中国共产党的宗旨目标和自己高度一致：这是人民的政党。方志敏对自身的立场十分清楚，认识到自己“逐渐无产阶级化，逐渐具备一个普通共产党员的资格”。入党后，方志敏怀有无限欣喜，他说“共产党员——这是一个极尊贵的名词，我加入了中国共产党，做了共产党员，我是如何的引以为荣呵！从此，我的一切，直至我的生命都交给党去了！”

这是始终追求进步的方志敏的归宿。他曾经在苦闷中读书，他惶惑自己接触的神学，觉得自己不属于教会，更不属于旧文化旧阶级。而读到李大钊的社会主义论著，他感到醍醐灌顶，兴奋异常。从此，他和与自己志同道合的同学，一起研读各种能够见到的马克思主义著作，研读《共产党宣言》。这让方志敏感到十分振奋，他甚至与同学们成立早期党组织“马克思主义研究小组”，积极投身传播马列主义和社会主义思想的实践。

方志敏以自己的实际行动，实践着对党的革命事业的忠诚。在国民大革命期间，方志敏在江西领导农民运动，在他的正确指挥下，农会规模一度达到30多万人。他号召农民“打土豪，分田地”，有力地配合了北伐战争，为革命事业做出不可磨灭的贡献。后来，方志敏先后担任中共闽浙赣省委书记，红十军、红十一军政治委员等工作，在这些领导岗位“鞠躬尽瘁，死而后已”。虽然革命工作十分辛苦，肺病时常复发，但是他从没有因为自己耽误党的工作。方志敏常说，“党有指示，虽死不辞”。方志敏全家祖孙三代共30余人，在方志敏言行的感召下，很多都参加了革命。他的胞弟方志慧、堂兄方志纯、方远辉、方远杰等都成了革命骨干。方远杰、方志慧、方远辉后来相继献出了年轻的生命。

方志敏一心为党为公，铁面无私。“矜持不苟，舍己为公”，方志敏把这“八个字”视为每个共产党员应具备的美德，不允许任何人违反、破坏。1933年闽浙赣省苏维埃政府机关报——《工农报》，曾在第61期刊登《生财有道的红色旅馆主任》，点名揭露葛源红色旅馆主任何坤生倒卖黄金牟取金钱16元3角2分；在第76期上举办了一个《贪污分子展览会》，揭露有的农会干部和共产党员私吞大洋10元、私分食盐4两、私分土地税谷等，贪污分子不多，数额也不大，可方志敏却毫不留情，严加惩处，将贪污现象消灭在萌芽状态。同时，他对鱼肉乡里的远亲近邻也严惩不贷，绝不姑息。1927年，蒋介石发动四一二反革命政变后，方志敏愤而回到家乡，扯起一面大旗，在赣东北建立了红色政权。在听取大家的意见时，方志敏发现，大家最痛恨的就是地主恶霸，于是专门成立了一支“打狗队”，专打地主恶霸，为老百姓伸冤报仇。可让方志敏没想到的是，他打的第一个对象，竟然是自己的五叔方高雨。方高雨是当地的一个小地主，没少欺压百姓，方志敏动员方氏大家族参加革命时，所有人都积极响应，只有这个方高雨无动于衷。方高雨为了跟方志敏作对，还跟国民党军队勾结，带着国民党军队来村里抓人。方高雨的大哥方高贤看不过去，出来指责方高雨，没想到方高雨竟然恼羞成怒，让国民党军队把大哥活活打死了。方志敏听说后，义愤填膺，当晚就带着“打狗队”闯进了方高雨家里，将他绑了起来。这件事，惊动了方志敏的奶奶，踮着小脚跑出来，让方志敏饶五叔一命。方志敏当然不会答应，历数五叔的罪证，不杀不足以平民愤。但方高雨毕竟是自己的儿子，奶奶无奈之下竟然跪在了方志敏面前，哭着求他。方志敏赶紧也跪在地上，扶奶奶起来，安慰了奶奶很久，才勉强把奶奶说服，最终还是把五叔给枪毙了。当时，很多地主恶霸都在等着看方志敏的笑话，可没想到方志敏真能枪毙方高雨，个个吓得面无人色，都说方志敏铁面无私，连自己五叔都不包庇。从此，家族中作恶逞凶者与当地的恶霸地主都夹着尾巴做人，再也不敢嚣张。

在方志敏短暂的一生中，他引导同学邵式平同他一起为革新社会而努力；他引导自己的兄弟方志纯走上革命的道路，他引导妻子和他一样成为无畏的革命者。他总是以自己的言传身教感召着身边的家人、战友，一同报效祖国，这股爱国精神一直传承，形成方志敏家的优良家风。

方志敏在革命中认识南昌市女子职业学校的学生缪敏，两人因志趣相投而结为革命伴侣。方志敏对党的无限忠诚，也深深影响着爱人缪敏。缪敏也像丈夫一样，“舍小家，顾大家”，忠于党和人民的事业。方志敏要随部队远征，而妻子缪敏身怀六甲。为了不让丈夫分心，缪敏说：“你不必担心，我已经安排好……”，勉励丈夫为党的事业不要挂念家庭。

方志敏被捕后，首先想到的不是个人安危，而是党的革命事业，他为自己耽误革命工作而抱歉，为不能继续为党贡献力量而痛苦，为把工作推给了同志而感到歉疚。“我不能完成的工作责任，只有加重到同志们的肩头上了！同志们！十分亲爱的同志们！永别了！请你们努力吧！我这次最感痛苦的，就是失却了为党努力的机会。你们要认识：你们能够为党工作，为党斗争，那是十分宝贵的。我与刘、王、曹同志等都是敌人刀口下的人了，是再也想不到为党拼命工作的机会了。这是无可奈何的！我能丢弃一切，惟革命事业，却耿耿在怀，不能丢却！”

方志敏就是本着这种无限的忠诚在监狱里继续争分夺秒地工作，尽量多发一分光，发一分热。他倾注所有的感情和心血，从第五天开始在狱中先后写下16篇动人心魄的文章：《我从事革命斗争的略述》《我们临死以前的话》《在狱致全体同志书》《可爱的中国》《清贫》《死！——共产主义的殉道者的记述》《给某夫妇的信》《狱中记实》《赣东北苏维埃创立的历史》中的“序言”和第二章等，共14万余字。这些珍贵的文字，总结了一生的革命经验，表达了对未来共产主义的坚定信念，寄托了对党的忠诚。

方志敏牺牲后，妻子缪敏秉承方志敏的遗志，延续着方志敏的精神。新中国成立后，缪敏担任江西省卫生厅副厅长。生活中的缪敏，从来没有官样，衣着朴素，即使浑身是病，仍旧坚持工作。女儿方梅有时候看不下去，想给母亲改善改善生活，或者让她歇一歇都不行。有时候，方梅劝得急了，缪敏就搬出丈夫来说服女儿。方梅说：“母亲的一生，一刻也没有停下过忙碌的脚步，她信守与父亲结婚时的誓言，做他真诚的革命伴侣。”

忠诚是方志敏革命事业的名片，这种坚贞的思想已经渗透到方志敏的家庭里，伴随着方志敏的血脉继续传承，成为优良的家风传统。

三、“清贫，洁白朴素的生活”

在方志敏的观念中，“清贫”不是一般意义上的贫寒，不是“一贫如洗”“家徒四壁”“食不果腹”“衣不蔽体”的生活状态，而是为党的事业和人民群众的利益甘于清苦的一种精神境界。这种“清贫”的家风也一直被他的亲人传承。

方志敏的夫人缪敏参加革命后，一直保持着艰苦朴素的作风。新中国成立后，缪敏回到江西工作，先后担任了上饶地委组织部长兼妇委书记、江西省卫生厅副厅长等职。晚年缪敏主要从事对丈夫方志敏事迹的收集整理工作。1973年，她将自己积攒的两万元稿费捐献给家乡用于修建圩堤和校舍。方志敏共有5个子女，分别起名为松、柏、竹、梅、兰，这来自他自拟的一副对联：心有三爱，奇书骏马佳山水；园栽四物，青松翠竹白梅兰。大儿子方松在新中国成立初期因病早逝，二儿子方柏（后改名方英）、三儿子方竹（后改名方明）曾留学苏联，学成回国后在各自的岗位默默奉献。他唯一的女儿叫方梅，出生后就被寄养在农户家里，后来在江西省航运管理局退休，至今仍过着清贫简朴的生活。

方志敏把短暂的一生，贡献给党和人民的事业，他从来不追求个人享受，严于律己堪作典范。清贫是一种美德，一种正气。方志敏被捕时，敌人热望从他这个共产党的“大官”身上搜出上千大洋和金戒金镯，可是搜遍全身，从上身摸到下身，从袄领捏到袜底，除了一只时表和一支自来水笔之外，一个铜板都没有搜出，他“唯一的财产”竟是放在深山坞里的几套旧的汗褂裤，与几双缝上底的线袜！这就是方志敏的财产。方志敏在文章《清贫》中写道：“清贫，洁白朴素的生活，正是我们革命者能够战胜许多困难的地方！”他还在给朋友的信中进一步阐释这种清贫和洁白朴素的生活：“你们生活要尽量朴素化，不要奢侈，不慕虚荣。”正是坚持清贫的信念，“不向困难投降，而要战胜困难；不怕生活艰苦，而要忍受一切的艰苦”。

革命年代，方志敏经手的经费不少，但从未沾一丝一毫。“我从事革命斗争，已经十余年了。在这长期的奋斗中，我一向过着朴素的生活，从没有奢侈过。经手的款项，总在数百万元，但为革命而筹集的金钱，是一点一滴地用之于革命事业。这在国民党的伟人们看来，颇似奇迹，或认为夸张；而矜持不苟，舍己为公，却是每个共产党员的美德。”方志敏的清贫思想源于坚定的共产主义理想信念，源于他信仰的“宇宙的真理。”“敌人只能砍下我们的头颅，决不能动摇我们的信仰。”这是方志敏留给世人的脍炙人口的名言。他在《死！——共产主义的殉道者的记述》中陈言："为着阶级和民族的解放，为着党的事业的成功，我毫不希罕那华丽的大厦，却宁愿居住在卑陋潮湿的茅棚；不希罕美味的西餐大菜，宁愿吞嚼刺口的苞粟和菜根；不希罕舒服柔软的钢丝床，宁愿睡在猪栏狗窠似的住所；不希罕闲逸，宁愿一天做十六点钟工的劳苦；不希罕富裕，宁愿困穷！……我能舍弃一切。但是不能舍弃党，舍弃阶级，舍弃革命事业。"方志敏的这五个"不希罕"、五个"宁愿"，没有丝毫的矫揉造作、虚情假意，完全是一种发自肺腑的真实可信的人生自白书、宣言书。

方志敏坚守"清贫"，而上自父母，下自妻子兄弟，都深受他的影响。方志敏任信江八县苏维埃主席期间，方母找上门来要钱，方志敏解释自己干的是为贫苦大众谋幸福的差事，他说："只是要革命，顾不得家里，没有办法，只求自己的爹妈原谅。"母亲有点不甘心，疑惑地问："你当主席，人家都讲是好大的官，一月多少饷银？"方志敏见母亲如此，想到自己一生革命，为党的事业而奋斗，说服母亲也是革命工作的一部分，于是语重心长地说："妈妈，我是当主席。可当的是穷人的主席，哪里是官？饷银嘛，将来会发，现在没得发。信江苏维埃刚成立，革命才开了个头，我们每天饭钱才7分呢！"母亲顿时明白了儿子是为了贫苦大众的未来工作，"哦，晓得了，晓得了。妈妈这一趟没白来，明白了仔是当穷人的主席，我苦点也舒心啦！"从这以后，她再怎么困苦，也没来找过方志敏要过钱。方志敏能够自己保持"清贫"本色，为革命艰苦奋斗，还深明大义劝解父母不要有发财的念想，要求不可谓不高。

对于方志敏的女儿方梅来说，方志敏唯一遗物——一条有着近百年历史的毛毯，成了自己的传家宝。这条毛毯，它曾伴随着方志敏转战南北，周转多人之手，后来回到母亲缪敏手中。后来，这条毛毯由缪敏传方梅，由方梅传儿子方林，由方林再传给后代。毛毯早已破旧不堪，不能再用了，但方梅还一直把它当做传家宝，她说：“这条毛毯是父亲清贫一生的写照，我要让子孙后代们记住并传承，千千万万像父亲一样的革命烈士没有私利，为了国家奉献出一切的精神。”

一条毛毯成为无字的家训，从革命战争年代传到今天，是传承涵养了四代人的家风，也是留给后人最宝贵的精神财富。

第十六章　钱学森：心系祖国，大智兴邦

欲造优美之家庭，须立良好之规则；内外门闾整洁，尊卑次序谨严；父母伯叔孝敬欢愉，妯娌弟兄和睦友爱；祖宗虽远，祭祀宜诚，子孙虽愚，诗书须读；娶媳求淑女，勿计妆奁，嫁女择佳婿，勿慕富贵；家富提携宗族，置义塾与公田，岁饥赈济亲朋，筹仁浆与义粟；勤俭为本，自必丰亨，忠厚传家，乃能长久。

——《钱氏家训》摘录

“未出土时先有节，待到凌云更虚心。”这两句诗是一个朋友给钱学森一幅《咏竹》的条幅写的。这两句诗很好地概括了钱学森作为一位伟大的科学家和爱国者的品德，是对钱学森一生心系祖国、艰苦奋斗，为祖国的航天事业作出卓越贡献的肯定。

钱学森是浙江杭州人，1911年出生在素有“耕读传家久，诗书继世长”家风的江南钱氏家族。钱氏家族乃是五代十国时期吴越王钱镠的后代，世代遵守钱氏家训。钱学森自幼接受家族良好的教育，深受父母谆谆教诲。他出生时，国家内忧外患，为实现民族独立、国家富强的愿望，毅然赴美学习航空学理论。钱学森早年已经有共产主义信仰，等到新中国成立，为实现“航空救国”的理想，他决然携带家属归国，投身社会主义建设，为“两弹一星”的研制作出卓越贡献。

钱学森继承了钱氏的优秀家风。他既是后人敬仰的大科学家，又是爱国的典范。他的言行深刻地影响着家人和孩子。他从不以自己的功劳向组织要特殊待遇，而是对子女家人要求严格，让他们努力学习，掌握本领，报效祖国。他的家庭教育思想和培养子女的理念，既继承了钱氏的优良家风传统，又形成了自己独特的家庭教育理念。通过回顾钱学森的人生，让我们更好地体味钱学森的独特家风。

一、“子孙虽愚，诗书须读”

“欲造优美之家庭，须立良好之规则”，这是“千年名门望族、两浙第一世家”的吴越钱氏的家训。钱氏历代子孙都秉承遗训，培育了敦厚的优良家风。

江南钱氏家族，历来重视家风传承，严格治家，历代名人辈出，据不完全统计，近代以来钱家出了19名院士。1911年，钱学森正出生在这样的世家，父亲钱钧夫寄望孩子能“好学而睿智”，取名“学森”。

“吾立名之后，须在子孙绍续家风、宣明礼教，子孙若有不忠不孝不仁不义便是破吾家门，千叮咛万嘱慎体吾意”，钱氏家训特别重视子孙的教育，钱钧夫夫妇很好地做到了这一点，“为孩子系好人生的第一粒扣子”。

钱学森的幼年教育，均由父母启蒙。母亲善良贤惠，慈爱持家，钱学森回忆：“我的母亲是个感情丰富、纯朴而善良的女性，而且是个通过自己的模范行为引导孩子行善事的母亲。母亲每逢带我走在北京大街上，总是向着乞讨的行人解囊相助，对家中的仆人也总是仁厚相待。”“母亲的慈爱之心给了我深远的和连绵不断的影响。”

钱钧夫乃是一个“博学多才、谦恭自守”之人。钱钧夫深知启蒙之重要，将“故立志者，为学之心也；为学者，立志之事也”的“立志”理念贯彻到对钱学森的教育过程中，开发其智力，立定其志向。

钱氏家训说：“子孙虽愚，诗书须读”。钱钧夫将家训贯彻到对钱学森的教导之中，从其儿时的作息表可以一窥钱家家教之严，“每天清晨，不用母亲催促，自己按时起床。早饭后，就开始跟母亲背诵唐诗。累了，就读一些儿童读物。下午，或者画画，或者练习毛笔字。每日如此，从不间断。”因此，3岁的钱学森已经能够背诵上百首唐诗、宋词，心算加乘除。

此外，钱钧夫注重在读书细节上及时引导儿子钱学森树立正确的价值取向。钱学森读《水浒传》，被一百零八汉英雄故事感动，并给父亲分享自己的想法。钱钧夫趁机教育说：“你也可以做英雄。但是，必须好好读书，努力学习知识，贡献社会。”钱钧夫将“学习知识，贡献社会”的理念，深深烙印在钱学森的心底里，给幼年的钱学森上了重要的人生课，钱学森说：“我的第一位老师是我父亲”。

除了学习中华传统文化和现代科学知识，钱钧夫还非常重视培养钱学森在艺术和审美上的兴趣，他曾找人教钱学森国画。钱学森很快掌握山水画基本技法，且颇有心得：“在观察景物，运笔作画时，那景物都融会在我的心里。那时，什么事情都全部被忘掉了心里干净极了。”艺术教育为他发挥想象力插上了翅膀。

1935年，在钱学森将要前往麻省理工学院攻读航空学专业的离别之际，钱钧夫递给钱学森一张纸条，上面写着：“人，生当有品；如哲、如仁、如义、如智、如忠、如悌、如孝！吾儿此次西行，非其夙志，当青青然而归，灿灿然而返乃父告之。”父亲眷眷之心，溢于言表，钱学森对父亲种种用心也感慨道“他为我打开了一个艺术、音乐和文学的新世界”。

钱学森的成长轨迹，和钱氏家族的良好家风是分不开的。钱学森也将此家风传承下来，对子女因材施教，从来不会跟子女说你要这样或者不要那样，而是用自身做人做事的方式自然而然地影响着孩子，砥砺他们的品德和能力。钱学森的儿子钱永刚，自幼受家庭影响也很爱读书，上初中时，适逢暑假，钱学森把一套《十万个为什么》送给儿子，平时不检查钱永刚的读书情况，对于问题的解答似乎也是点到为止，对此，钱永刚说，“每个问题，他就几句话，把关键讲好，你自己再去思考。”这就是钱学森引导子女善于读书学习的方法，同时也让钱永刚养成了善于思索的好习惯。

二、“以国家需要为念”

钱氏家训说：“利在一身勿谋也，利在天下必谋之；利在一时固谋也，利在万世更谋之。”这句话用在钱学森身上最合适不过。钱学森的一生，正是实践了他那句“我的事业在中国，我的成就在中国，我的归宿在中国”的诺言。

钱学森自幼接受的家庭教育，父母培养其品德高尚，也培养他的爱国精神。钱钧夫自己就是爱国人士，青年时期即东渡日本寻求救国之道。回国后创办学校，实现其“教育救国”之愿望。因此，钱钧夫特别注重对钱学森的爱国教育。通过组织郊游，让孩子观赏祖国的大好河山等直观做法，培养他的爱国之情。这种懵懂的爱国情感，在上学后得到更好的升华。钱学森的中学国文老师董鲁安思想进步，经常批评北洋军阀，欢呼北伐军的胜利，这种胸怀祖国的拳拳之心，也感染了他的学生，钱学森即是其中之一。钱学森后来回忆说：“他（董鲁安）经常告诫我们，不要忘记我们是中国人，不论将来做哪一样工作，都要想到自己的祖国，想到自己作为一个中国人的责任！”

由此，“中国人”，这几个字眼蕴含的担当精神，深深地扎根在青年钱学森的热血里，成为他精神品格的一部分。立志报国的决心，在青年钱学森心中激荡。在他读到南明兵部尚书史可法的事迹后，更被史可法忠贞坚毅的品格所打动，特意跑到英雄长眠之地祭奠。

钱学森的爱国是建立在祖国需要之上的。当时，日本侵略加剧，制造一二八事变，华夏大地已容不下“一张安静的书桌”。日军的轰炸，中日国力的差异让钱学森意识到国家工业的落后，提醒钱学森科技关乎国家的发展，更关乎国家安全。经过长时间的观察和思考，钱学森决定学习航空学，实现其“航空救国”的理想。他还去清华大学拜访导师王士卓。王士卓告诫钱学森：“要记住，无论你走到哪里，都不要对自己的祖国说三道四。要知道，无论哪一个国家的人民，都把自己的祖国奉为至尊。祖国富强，人民光彩；祖国落后，我们脸面无光。”祖辈的遗训，父辈的行动，师长的教诲，都深深感化着钱学森的心灵，爱国不再是一句话，而逐渐与钱学森的人生融为一体。他要到美国去学习航空学，他要救国，他对同学说：“我到美国去学习科学技术是暂时的，学成之后，一定回来为祖国服务！”

钱学森的爱国是坚定不移的。1947年，不满40岁的钱学森，已被美国麻省理工学院聘为终身教授。这是一个很高的荣誉，它预示着钱学森的优厚待遇和远大前程。然而，当钱学森得知新中国成立的消息后，这个每时每刻都在想念祖国的科学家，顿时沉浸在极大的喜悦之中。钱学森在美国已经生活了10多年，当时因掌握了“惊人的火箭理论”而享有崇高的荣誉和威望。可钱学森认为，“我是中国人，我的根在中国。我能够放下在美国的一切，但不能放下祖国。我就应早日回到祖国去，为建设新中国贡献自己的全部力量”，他还激动地对中国留学生说：“新生的人民共和国急需科学技术，急需建设人才，我们施展才华报效祖国的时候到来了！”钱学森仍记得父亲家信中的嘱托：“国家已到了祸燃眉睫的重要关头，望儿以国家需要为念。”

父亲的信，让钱学森更加坚定自己的抉择：身在异乡的人，终要回家的，家是归宿。

钱学森在为祖国科研实验奋斗的岁月里，始终持续着一名爱国学者应有的崇高精神，但面对国家给予他个人的荣誉却看得很淡，他曾说：“我是一个中国的科技工作者，我所学到的科学技术只服务于我的祖国，我活着的目的就是要为全体中国人民服务。如果说我有所求的话，那我想要的最高奖赏，就是全国人民对我工作的满意。”

钱学森的报国人生，乃因钱氏家风与历史现实之氤氲。钱学森工作虽忙，但他对子女的爱国教育却不曾缺位。因为工作的特殊性和保密性，钱学森常年在戈壁滩上工作，与家人一年都不一定能见一次面，父亲给少年钱永刚灌输的就是舍小家为大家。钱永刚在接受采访时说：“我从小得到的教育是，你的父亲既是你的父亲，也不是你的父亲。这个我从小，关于我的爸妈，我周围的长辈就反复说，小钱你要懂事，你的爸爸不完全属于你的，他是国家的，是民族的，是人们的，这个你要懂。”

巧合的是成年后的钱永刚留学美国跟父亲上了同一所学校，与钱学森成为了校友。和父亲一样，钱永刚也是学成归来报效祖国。父亲义无反顾的爱国情怀影响了钱永刚一生，他始终牢记父亲的教诲，做事情“最根本的还是要报效社会，把本领奉献给社会，奉献给国家，为民族的强盛做点事”。

三、“勤俭为本，自必丰亨”

钱氏家训有言：“勤俭为本，自必丰亨。”意思是说，持家要以勤俭为要，如此才能家道兴旺。这句话的意思有两层：一是要勤劳，要努力工作；二是要节俭，生活要简朴。钱学森也是如此，他的儿子钱永刚说，父亲一生节俭，一个例子，他一个公文包用了40年。

钱学森刚回祖国，生活条件不能跟在美国时比，钱学森对夫人蒋英说：“如今咱住的可称作是陋室了。古人说，‘斯是陋室，唯吾德馨’。只要我们有好的德行，努力工作，多为人民、为国家做有益的事情，‘何陋之有’？更何况，这陋室毕竟是我们有生以来真正属于我们自己的家呀！”蒋英理解地说道：“住在自己的家里，我们心里踏实，这才是真正的‘安居’。‘安居’而后‘乐业’，工作中自然会有无穷的乐趣！”

钱学森看爱妻如此通情达理，非常高兴，也趁机问问孩子们的意见，钱学森动情地说："现在住在这样的房子里，对于你们来说是一份珍贵的礼物，这陋室可以磨炼你们的意志，可以打掉你们养尊处优的惰性。""我们安定下来后，你们就要上学读书，要好好学习，跟同学们好好相处，要虚心地向他们学习汉语，争取好成绩，将来为国家服务，为人民服务！"良好家教的熏陶，孩子们对此也表示理解。

钱学森有句话说："虽然我姓钱，但我不爱钱。"在生活上，钱学森奉行节俭，吃饱穿暖即可，没有更高的要求。他对子女严格要求，从不娇生惯养，钱永刚回忆道："父母讲得很清楚，只要是熟的、热的，就可以吃；但是如果没弄熟，我们才可以提出意见，说自己嚼不动、吃不了。不论是回国前还是回国后，都是如此，不曾改变。"钱永刚还讲述了一件事情，刚回国那会，还有喝牛奶的习惯，国内的牛奶与美国纸盒装的牛奶不同。家人托人弄来玻璃瓶装的牛奶，还是热的。钱永刚与妹妹用英语交谈，说："这牛奶怎么是热的，该不是假的吧。"但钱学森听到后说："觉得牛奶热，那就晾晾，凉了就可以喝了。"

国家困难时期，科技人员亦受物资短缺影响，生活质量下降。钱学森便主动停止喝茶，拒绝吃肉。从1958年至1961年，钱学森每次到中国科技大学，冬天穿土布中山装，戴布帽，穿布鞋；夏天戴草帽，穿短裤，衣服上带有补丁。钱学森如此要求自己，也严格约束家庭成员。有一次钱学森下班回家，看到桌子上有一个竹篮，里面放着少见的点心、肉制品、水果和一瓶葡萄酒。他诧异地问蒋英，蒋英说这是聂荣臻元帅为了照顾科技人员，批的"特供"，钱学森语重心长地说："目前，国家处于困难时期，几亿同胞忍饥挨饿，我们应该同人民同甘共苦才对。"

改革开放后，钱学森家庭恢复正常。蒋英重回中央音乐学院，教授外国音乐；儿子钱永刚参了军，女儿钱永真考取了上海军医大学。以钱学森的地位和威望，如果想要为子女谋点前程，放在今天的社会里，绝对不是个事，但钱学森没有这么做，他没有让子女躺在自己的“功劳簿”上，而是要他们靠自己的能力生活，成为对社会和国家有用的人。

1979年2月，作家叶永烈采访了钱学森。在当时宣传科学家的热潮里，没有一本关于钱学森的报告文学。叶永烈几次想请钱学森谈谈个人家庭的情况，钱学森总是说：“不行，不谈那些过去的事了。”钱学森从不谈功劳，不谈艰苦，不向国家伸手要待遇，自己不要，也不让家人要。

钱学森教育子女正是用榜样的力量，感染着家庭和孩子。记者采访钱永刚问家教的秘密，钱永刚想了想说：“如果说我们家有什么教育秘诀的话，那就是‘不教育’。要说‘言传’，我们家几乎没有，主要靠‘身教’。”

钱学森是一名伟大的爱国者，把一生都奉献给了自己的祖国。他出生在名门世家，承袭优良的家风。在这样的家庭教育中，他立志、求学，到成长为伟大的科学家。他一生牵挂自己的国家，甚至到他临终前，面对前来看望的温家宝总理，问出著名的“钱学森之问”，希望自己的祖国能够培养出真正的人才。钱家优良的家风传统，直到今天仍有着积极的意义，是社会主义精神文明的重要组成部分。

第十七章　谷文昌：心中『四有』，清白持家

我管林业，如果我做一张木桌子，下面就会做几十张、几百张，我犯小错误，下面就会犯大错误。当领导的要先把自己的手洗净，把自己的腰杆挺直！

——谷文昌示家人

“他在任时不追求轰轰烈烈的‘显绩’，而是默默无闻地奉献，带领当地干部群众通过十几年的努力，在沿海建成了一道惠及子孙后代的防护林，在老百姓心中树起了一座不朽的丰碑。”这是习近平对谷文昌的高度评价，作为东山县原县委书记，谷文昌也以自己的行动谱写了他“心中有党、心中有民、心中有责、心中有戒”的光辉人生。

谷文昌是河南林县人，1950年随部队南下至福建。在东山县任职期间，他为改善当地人民的生活，以“不治服风沙，就让风沙把我埋掉”的胆魄，率领东山人民苦战十几载，遍植木麻黄，治服了“神仙都难治”的风沙，今天的东山县，天蓝、林绿、生态美。谷文昌当年描绘的愿景，“举首不见石头山，下看不见飞沙滩，上路不被太阳晒，树林里面找村庄”早已变成现实。1981年1月30日，谷文昌病重之际仍旧不忘嘱咐：“我喜欢东山的土地，东山的人民。我在东山干了14年，有些事情还没有办好。死后，请把我的骨灰撒在东山，我要和东山的人民，东山的大树永远在一起！”

谷文昌的一生，克勤克俭，兢兢业业，不但严于律己，还以身作则，为后辈们做出了光辉的榜样，树立了“清白持家、简朴本分、为民奉献”的优良家风。他严格要求子女不要计较工作条件，不能要待遇，更不能搞特殊化，而是将目光放长远，做一个有用之人。他的言传身教对子女影响深远。

一、心中有党，不计条件

“共产党员，党说要去哪里，就去哪里。”这是“四有”县委书记的典范谷文昌的名言。他自1944年加入中国共产党，就一心一意忠诚于党和人民的事业。1949年初，中共河南省林县县委正组织干部随部队南下福建，很多干部同志都打算留在家乡，既熟悉状况，又可以照顾家庭。谷文昌上有老下有小，却本着“舍小家，顾大局”的信念，第一个举手报了名，还不辞辛苦地劝说其他干部响应党的号召南下工作。

谷文昌不计较工作条件，一生为党和国家无私奉献。这样的工作理念既为他个人所坚守，也深深融入他的家庭教育之中。1980年儿媳妇杨小云从师范院校毕业，想让公公出面安排一个条件较好的单位。谷文昌说：“还是听从组织分配吧！”“不论单位大小，只要努力，在哪里都可以作出成绩。”后来杨小云听从建议，去了一所普通学校当老师，并且认真工作，干得不错。

谷文昌常对后辈说：“你们还年轻，要好好工作，别忙着讲享受。”侄女史水仙在木器社当搬运工，居住条件较差，希望姑父能够帮忙改善一下工作和居住条件，谷文昌反而以此为机会教育侄女：“姑父作为县委书记，不能帮亲戚搞特殊化。我们反对‘走后门’，而自己又搞这一套，怎么去说服人家呢？”

大女儿谷哲慧在入党转正时，被接二连三的打击，对入党心灰意冷，打定主意不再继续坚持。谷文昌得知此事，专门找其谈心：“一个人不能没有信念。你过去有着共产主义的信念，也尽了自己的努力。不能因为受了委屈，就丧失信念。要相信党，向党靠拢。”

谷文昌出身贫苦，是党培养起来的国家干部。当年，29岁的谷文昌申请加入中国共产党，就已经做好为党和人民的事业牺牲一切的准备。对于谷文昌来说，党的事业在哪里，他的家乡就在哪里。这一信念是他日后为官，造福一方的动力。谷文昌在福建省东山县任职多年，原来的东山县“春搬沙，夏种地，秋抢收，冬又埋”“春夏苦旱灾，秋冬风沙害。一年四季里，季季都有灾”“风沙淹田牛上屋，父母嫁女水陪嫁”，生活条件极端艰苦。但是，谷文昌不以为意，反而更加勤奋地工作，努力改变东山的现状。“要想富，先植树”，他带领全县人民开始植树造林，作出了令人瞩目的成绩。至1964年，共造林8.2万亩，400多座小山丘和3万多亩荒沙滩基本完成绿化，194公里的海岸线筑起了“绿色长城”。

“人生有起伏，工作无高低”，谷文昌到哪里心中都装着党的事业。三年经济困难时期，他顶住各种压力，兢兢业业做好本职工作。即使“文化大革命”中遭受批判冲击，他仍毫无怨言。他和全家被下放到三明地区宁化县禾口公社红旗大队（今石壁镇红旗村）当社员，仍旧乐天知命，对党无抱怨，“手不闲、腿不闲、口不闲”地干革命工作。

在谷文昌的严格教育之下，他的五个子女，除了长子在厦门出入境检验检疫局工作至退休，其余的四个子女退休时都是漳州普通的科员、企业职工。到了孙辈，多是幼儿园老师、糖厂职工、单位司机等普通岗位上的员工。谷文昌的后代很好地继承了他“不计较条件，勤奋工作出成绩”的优良家训。

二、心中有民，不忘初心

谷文昌一心为公，清正廉洁，两袖清风，一身正气。他自担任领导职务起，心中就一直挂念着百姓们，经常深入田间地头，与群众打成一片，想百姓所想，急百姓所急，经常卷起裤脚帮助村民耕田，拿起钢钎敲打石头，带领百姓为幸福生活努力奋斗。作为一名县领导，谷文昌"心中有民"，一心一意为人民服务，他始终坚信，"如果我们不关心群众生活，就无所谓革命"。即使在国家最困难的时期，他仍旧不忘记抓生产，搞建设，群众看在眼里，记在心里，说在嘴里，称赞谷文昌为"谷满仓"。

谷文昌初到福建东山县任职，经常走到田间地头，了解百姓疾苦。一天，谷文昌下乡考察，遇到衣衫褴褛的村民，赶紧上前询问情况，原来虽然已经分过土地，但由于先前经济的破坏，自然环境恶化，村民吃不饱，穿不暖，这让谷文昌心头酸楚，他饱含热泪地对村民说："乡亲们，我是县长谷文昌，我对不住你们呀！……请相信我，我们一定要把风沙治住，日子会好起来的""我这个县长，对不住群众呀！""不把人民拯救出苦难，共产党来干什么！"当了解到这个"乞丐村"，村民共900人，其中600人以乞讨为生时，谷文昌留下难过的泪水，人民生活在水深火热中，身为人民利益代表的共产党人岂能袖手旁观。自此，谷文昌不辞辛苦，工作在第一线，植树造林，修堤筑坝，改善当地的自然环境和人民的生活条件。

即便在生命最后关头，谷文昌仍然把人民放在心里最重要的地方，不愿让人们过多挂念他。1981年元旦刚过，谷文昌的儿子谷豫东在部队接到家里发来的紧急电报："父亲病危，请速回。"他急忙请假回家。才几个月不见，病床上的父亲，已是骨瘦如柴。谷文昌被确诊为食道癌晚期。住院期间，前来探病的东山人很多。谷文昌总是再三交代：“回东山后，要是有人问起我的病，就说好了，出院了，别让大家费时来看我。”谷文昌就是这样，心里装的永远只有人民，唯独没有他自己。

谁心里有群众，群众心里就纪念谁。现在，当地人民群众称呼谷文昌为“谷公”。每到春节、清明等传统文化节日，群众都是“先祭谷公，后祭祖宗”。

三、心中有责，不要特殊待遇

谷文昌一生节俭，常年穿着一双黑布鞋，一套灰色中山装。他虽历任福建省多任领导职务，但家里连张像样的吃饭的桌子都没有。奉公无私，不拿半寸公家的木头，这是他的责任，更是他的信念。

谷文昌不但自己不向组织要待遇，连带家人的待遇也被他推辞了。20世纪50年代，组织部门建议提拔谷文昌的妻子史英萍为副县长，被谷文昌婉言拒绝了。史英萍也是南下干部，新中国成立之初是东山县民政科科长，薪金级别为行政18级，以后的多次涨薪机会，都让谷文昌给压下了。“你们不要因为老史是我的妻子而照顾她。国家经济还困难，有限的调薪名额，应评给比老史薪水更低的人。”谷文昌将为官的责任看得很重，他将组织给的待遇也看得严格，认为如果自己少享有一点，老百姓的日子会好过得多。谷文昌的儿子谷豫东说：“父母一辈子清贫、朴素，家里从没置办过什么值钱的家具，从河南到东山、福州、宁化、漳州，父母的行囊永远都只是两个樟木箱子，里面是一些简单的工作和生活用品。”

谷文昌特别注重对子女的教育，他经常告诫家人：不要因为自己为国家作了一点贡献，就向组织讲特殊、要待遇。在他看来，靠本事吃饭，靠技术立身，才是为人的根本。谷文昌的老部下评价自己的老领导说："谷书记公私分明，从没有利用手中的权力为家人牟利，他的5个孩子都是自食其力，没有沾过父亲的光，在平凡的岗位上工作了一辈子。"

1964年，谷文昌调任福州工作。组织考虑到最好有子女跟随照顾生活，就决定把谷文昌的长女谷哲慧由临时工转正，随父到省城工作。谷文昌听说后，严词拒绝了。他说："县委书记的孩子不能特殊，还是留在东山锻炼好。"直到谷文昌去世后，谷哲慧才转为国家干部。1974年小女儿谷哲英毕业，谷文昌安排她到农村插队锻炼。1976年小儿子谷豫东高中毕业，当时最大的愿望是到工厂当一名工人。那时谷文昌夫妇已进入花甲之年，体弱多病，大姐已经出嫁，其他子女都不在身边，特别需要有个孩子照应。谷豫东就向时任地区革委会副主任的父亲提出留下照应的请求。谷文昌沉默很久，最后还是动员儿子到艰苦的地方接受锻炼。谷豫东据理力争："按规定，身边没有子女的可以照顾一个留城的名额，我们又没有违反政策，为什么一个也不留呢？"谷文昌还是那句老话，我是领导干部，如果我自己不带头，底下的工作怎么做呢？这年6月下旬，谷豫东被组织安排到南靖县偏远的山村朱坑知青点落户。

正是凭借着这种坚定的信念，无私的工作，凡是跟谷文昌共过事的同志都挑起大拇指称赞：他廉洁自律，鞠躬尽瘁，艰苦朴素，不谋私利。谷文昌还要求子女也要有责任之心，不要向国家要待遇，要学成技能，成为一名普通的劳动者，服务于人民大众。"心中有责"，渗透在谷文昌的家庭教育之中，敦促他们成为于人民有用的人。

四、心中有戒，不能特殊化

“干部家属不能特殊化”，这是谷文昌经常挂在嘴边的治家格言，他怀着共产党的宗旨，装着百姓的福祉，律己甚严，律家人更严。大女儿谷哲慧结婚时，他爱人史英萍托人从百货公司仓库买了两床当时凭票供应的缎被面，谷文昌知道后生气地说：“县委书记的女儿结婚就可以搞特殊走后门吗?”硬是给退了回去。

谷文昌长期任职林业部门，但从不私用国家的木材。从福州到任职漳州，老伴史英萍提议买点家具，结果谷文昌买回来却是竹凳、藤椅、石饭桌等。面对妻子的疑惑，谷文昌认真地说：“林业局长家一下子添了木制家具，外人会产生误会，我们也不能写个声明贴出去——这是买的。”他自己身体力行，也不忘严格约束家里人。二女儿结婚，家里没有家具，想要父亲批点木材，被他当场拒绝：“我管林业，如果我做一张桌子，下面就会做几十张、几百张，我犯小错误，下面就会犯大错误。当领导的要先把自己的手洗净，把自己的腰杆挺直!”

在五个子女的心目中，父亲是典型的“严父”，严厉得有点“不近人情”。正因为如此，五个孩子在工作、生活上没有得到任何“特殊照顾”，就连政策允许的事，谷文昌也不争取。

谷豫东被分配到南靖山区的林场工作，据谷豫东回忆：“临行前一天，父亲早早回到了家里，帮我整理行李，忙活了一晚上。第二天告别时，他取出前几天拍的一张全家福照片塞在我手里。父亲就是这样一个人，把对子女的温情深藏在心里，但绝不会利用手中的权力帮家人谋私。”

谷文昌大多数时间在基层工作，为了工作方便，40多岁的他开始学骑自行车，几经努力终于熟练掌握了骑自行车的技巧。谷文昌骑着自行车深入田间地头，与农民谈生产，和群众拉家常，解决群众的实际困难，人们都称这自行车为“书记专车”。就是这辆“专车”，曾经被孩子私用了一回，被谷文昌严厉批评：这是国家的车，你们没有权利使用！“国家的车不能占用。”这样的话语，是谷文昌教育孩子最好的方式。谷文昌去世前，还在遗嘱里特地交代把自行车和家里的电话交给国家。

谷文昌经常说：“路只有自己走才会越走越宽广。”他以自己的言传身教，带给子女最好的教育。三女儿谷哲芬说：“父亲很少说教，也没留下什么家书、家训，他的教育是身体力行展现的。”

几十年后，曾经被他严格约束，不肯“通融”的子女们，开始明白谷文昌留下的宝贵的家风遗产。他们说：“父亲用一言一行教会我们做人的准则，踏实做人、干净做事，不追逐名利，不享受特权，父亲留下的家风，使我们永远受益。”

世人高度评价谷文昌留下的家风遗产，说：“谷文昌家风内涵丰富，特色鲜明，事例生动、可信，集中体现了那一代共产党员艰苦朴素、清白为官、为民奉献的优良作风，是我们党的建设宝贵的精神财富，全面从严治党，应当把这些优良传统继承好、发扬好，让谷文昌式的好家风成为我们党永不褪色的传家宝。”

谷文昌被习近平盛赞为“四有”县委书记的典型，他“心中有党、心中有民、心中有责、心中有戒”，一生为党和人民的事业无私奋斗，立下了不起的“显绩”。谷文昌严于律己，精于治家，他的教育方式与“四有”理念契合，他将家国情怀与家庭教育相结合，言传身教，让子女明白自身承担的责任，引导他们成为有用之才，培育出了良好的家风。作为“100位新中国成立以来感动中国人物”之一，谷文昌永远活在人民的心中。

第十八章　焦裕禄：公仆情怀，求实作风，奋斗精神

县委书记的孩子并不特殊，要说特殊，只能是更加的爱学习，爱劳动，而不是爱攀比。学习上向先进看齐，生活条件跟差的比。

——焦裕禄

在离兰考县焦陵不到百米的一条小巷子里，有一座普通的北方小院。1964年焦裕禄离世后的近三十年中，他的家人一直住在这里。焦裕禄的故事人们早已耳熟能详，在他离开的半个多世纪里，这个家庭所发生的点点滴滴也给人一种深深的震撼。

焦裕禄是兰考县原县委书记，也是一名人民的好公仆，焦裕禄在担任兰考县县委书记时表现出了“亲民爱民，艰苦奋斗，科学求实，迎难而上，无私奉献”等精神，被后人总结为“焦裕禄精神”。习近平总书记高度评价焦裕禄精神：“无论过去、现在还是将来，都永远是亿万人们心中一座永不磨灭的丰碑，永远是鼓舞我们艰苦奋斗、执政为民的强大思想动力，永远是激励我们求真务实、开拓进取的宝贵精神财富，永远不会过时。”焦裕禄精神是一座丰碑，永远值得我们学习，而焦裕禄家风则是焦裕禄精神的重要组成部分。焦裕禄的女儿焦守云把焦门家风归纳为热爱劳动、艰苦朴素、不搞特殊三条，平凡朴实的“三条”构成了焦裕禄家风的内涵。

一、热爱劳动，不能不劳而获

1922年8月，焦裕禄出生在山东淄博博山县北崮山村一个贫苦的农民家庭，焦裕禄从小就生活在吃不饱穿不暖的环境下，所谓靠山吃山靠水吃水，焦裕禄从小就跟着父母到山间田地挖野菜、捡柴枝、刨草根，以此艰难度日。1932年，焦裕禄的家乡遭遇灾荒，由于家境十分困难，11岁的焦裕禄被迫退学干活养家，辍学后的焦裕禄主动承担拾柴火、挖野菜、捡煤渣的劳动以维持家中生计，同时承担力所能及的家务活以减轻父母的负担。除了在家种地外，焦裕禄在农闲时也主动参加劳动，16岁时就开始打短工，来到村里的油坊参加劳动，油坊每年收了花生和芝麻榨成油后需要运送到城里去卖，焦裕禄就成了油坊跑腿的雇工。

穷人的孩子早当家，少年焦裕禄就是在这样艰苦劳作的环境中长大的，这使得焦裕禄养成了热爱劳动的习惯，可以说“热爱劳动”是焦家最接地气的家风。焦裕禄经常教育子女要热爱劳动，自己的事情自己做，他经常带着孩子们参加力所能及的劳动，让孩子们懂得通过辛勤的劳动才能自给自足，只有热爱劳动才会更加珍惜劳动成果，才不会有不劳而获的不良心思。焦裕禄的女儿焦守云回忆：“父亲要求我们一定要热爱劳动，不能不劳而获，自己的事情自己做。所以，他一有一点工夫就领着我们去劳动，参加小秋收，参加拾麦穗，那时候我们小，拾麦穗的活动，把收到的这些东西全部让它们颗粒归仓，那时候生活艰难，父亲会领着我们房前屋后种瓜种豆，而且在吃不上肉的年代，到处都是草，就领着我们养了一群小兔子，一个给生活也增添了乐趣，再一个，让我们从中体会劳动是怎么一回事。”焦裕禄平时让孩子们自己担水扫地，孩子们看着别人都是买水喝的，就不解地问为什么不直接买水喝却要担水喝？焦裕禄就回答说，自己能担水为什么要买呢？自己能办的事就应该自己去办，光想着依靠别人的劳动去生活，长大了就会变成怕困难、怕吃苦的人，当然就不会全心全意为人民服务了。对于焦家孩子来说，辛勤劳动虽然不容易，但他们从中体验到了劳动的价值与快乐。

焦裕禄的大女儿焦守凤初中毕业时准备找一份工作，县委书记的女儿在家待业，自然引起一些单位的关注。那时候教育普及程度低，初中毕业也算是个小知识分子了，有些单位提供了一些岗位，从县委干事到学校老师，从打字员到话务员，都是很体面的工作，焦守凤觉得这些单位都挺好，都是坐办公室的轻松工作。焦裕禄知道后全部拒绝，他认为刚毕业的孩子不能少了“劳动”这一课，他给焦守凤提供三个选择：一是在县委大院打扫卫生，二是去跟理发师傅学理发，三是去食品厂腌制咸菜。一天早上，焦裕禄对焦守凤说：“走，咱上班去！”听了父亲的这句话，焦守凤又惊又喜，高兴地跟上了父亲。当父女俩走到兰考食品加工厂时，焦守凤一下子傻眼了，原来父亲竟安排她到食品加工厂当腌咸菜的小工！焦裕禄亲自送女儿报到，不是为了让厂领导照顾女儿，而是为了叮嘱厂领导：“不能因为是县委书记的女儿，就给她安排轻便活，要和其他进厂的工人一样对待。”

食品厂的一个重头产品是腌咸菜，秋天萝卜上市的时候，焦守凤一天要切上一千多斤萝卜，然而比切萝卜更难受的是切辣椒，刚开始一天切几百斤辣椒，手上都会被辣椒汁烧出泡来，晚上疼得难以入睡，只有打一盆冷水把手放里面浸泡才能缓解疼痛。焦守凤哭过多次，她心里对父亲很有意见，暗地里也埋怨过父亲太狠心，觉得不公平。焦裕禄耐心地教育她：“县委书记的女儿，更应该热爱劳动，带头吃苦。”腌咸菜还不是最难的，最让焦守凤难以接受的是卖酱菜，县委书记家年轻的大姑娘挑着担子卖酱菜，脸上拉不下来。一天，焦裕禄对焦守凤说：“今天爸爸事不多，带你去卖酱菜吧。”于是焦裕禄就带着女儿挑着酱菜挑子沿街买卖吆喝，还教女儿怎么挑挑子不磨肩，怎么吆喝能吸引顾客注意，这时焦守凤才明白一个道理：我一个小工人，什么都不是还这么爱面子，爸爸一个县委书记就没有面子了？于是她对焦裕禄说："你回去吧，我以后再也不闹了，别人能干，我也能干。"

焦裕禄40来岁时不幸罹患肝癌，病情严重躺在床上时他还不忘叮嘱守护在身边的妻子徐俊雅："俊雅，孩子都还小……我死后……担子全压在你身上……你，多辛苦了。要教育好孩子，多叫他们参加劳动……把他们培养成……革命接班人。生活上要艰苦一些……不要随便伸手……向组织上要钱，要东西……"焦裕禄这时说话已经气喘吁吁，断断续续，但每一个字都镌刻在徐俊雅心里。在焦裕禄的影响下，妻子徐俊雅对子女严加管教，特别注重培养子女热爱劳动的良好习惯。焦裕禄的儿子焦跃进年轻时正值毛泽东号召知识青年"上山下乡"，焦跃进知道，只要母亲向组织提出申请，他完全可以留在县城，但在母亲的坚持下，焦跃进到农村担任了生产队长，当时队里有个小砖窑，焦跃进干的是手工脱坯这项最重最累的活儿，"脱坯打墙，活见阎王"，焦跃进一天搬2000多块砖，晚上经常浑身疼得睡不着，但他没有退缩，坚持参加劳动，锻炼自己。若干年后焦跃进当上了乡长，当时焦跃进想在家里装一部电话，徐俊雅知道后说："你装个电话，是不是打算在家遥控办公呢？一乡之长你不跟村户同劳动，怎么了解群众的想法和困难？"焦跃进由此受到很大的震撼，从此他更加深入群众，主动与农民一同参加劳动，感受农民贫困疾苦，问题能解决的就立即解决，老乡们都说这娃儿办事风格很像焦书记。

焦裕禄的女儿焦守军17岁那年高中毕业后到昆明某部队当兵，经过辛苦的新兵训练，上级准备把她安排在军区机关门诊部，但焦守军拒绝了照顾，主动要求到了驻在大山坳的某通信总站二营，有人对她说机关与连队的差距可能影响她的一生，但焦守军知道她不能要组织的照顾。在连队的时候，焦守军从来没有闲着，她当过炊事员、饲养员、报务员，参加过养猪喂牛、种水稻种蔬菜的劳动，无论条件多么艰苦，生活多么紧张，焦守军始终严格要求自己，积极参加生产劳动，她的表现得到了大家的好评和认可。

二、艰苦朴素，不高人一等

“艰苦朴素”是焦家最纯美的家风，焦裕禄从小就养成了艰苦朴素、勤俭节约的好习惯，形成了焦家的好家风。焦裕禄告诫孩子们不能跟别人比吃比穿，要比就比学习比进步。工作生活中焦裕禄把艰苦朴素、勤俭节约的家风用到了方方面面，他坚持生活简朴、勤俭办事，坚持吃苦在前、享受在后。焦裕禄身体长期有病，家里人口又多，生活比较困难，可他坚持节约物力，物尽其用，拒绝政府救济。焦裕禄的办公桌文件柜有不少地方破损，有人劝他换新的，他没有采纳这个建议，修了修照样使用。他用过的一条被子上有42个补丁，褥子上有36个补丁，同志们劝他换床新被子，他说：“我的被子破了，是需更换新的，但应该看到，灾区的群众比我更需要。其实，我这就很好，比我要饭时披着麻包片，住在房檐底下避雪强多啦！”焦裕禄的衣帽鞋袜总是拆洗很多次，缝缝补补，破旧得很厉害，但焦裕禄总是舍不得换，妻子徐俊雅最后生气不给他补了，他就自己动手补，一次有位干部提出要给领导干部的办公室装修，焦裕禄严肃地说：“坐在破椅子上不能革命吗？兰考的灾区面貌还没有改变，群众生活还有困难，富丽堂皇的事不但不能做，就是连想也很危险。”

焦裕禄不仅对自己严格要求，还要求儿女们艰苦朴素，不要和别人攀比吃穿，要比就比学习比进步。在焦裕禄大女儿焦守凤的记忆中，全家人聚在一起吃饭是难得的幸福时光，焦裕禄会挨个问起孩子们的学习近况，叮嘱他们在学校里要尊敬老师、团结同学，不能因为自己是县委书记的孩子就高人一等。然而，什么叫“高人一等”焦守凤不知道，她反而觉得自己“低人一等”，母亲曾亲手给她做过一件花布大衣，这件大衣缝缝补补，焦守凤在十几岁上初中的年纪还穿着，那时候正是小姑娘爱美的年纪，同学们都笑她：“县委书记的闺女穿的还不如我们呢！瞧，她的衣服上还有补丁！”焦守凤觉得十分委屈，就央求父亲给她买件新大衣，焦裕禄了解事情的原委后，就对女儿说：“一点点大的年纪居然比起穿着来了，什么是丢人？不好好学习，不遵守纪律，那才是真正的丢人呢！衣服旧了、破了，洗干净了，补好了就行了！”焦裕禄还告诉她：“县委书记的孩子并不特殊，要说特殊，只能是更加爱学习、爱劳动，而不是爱攀比。在学习上要向先进看齐，生活条件要跟差的比。”在父亲的教导之下，那件旧棉袄又穿了两个冬天，后来实在穿不下了，还给小妹妹焦守云穿。1966年9月15日，年仅13岁的焦守云登上天安门城楼，受到了毛泽东主席、周恩来总理等党和国家领导人的亲切接见，当时焦守云穿的就是她姐姐穿小了的衣服，袖子上还有很多补丁。

在焦裕禄的家里，孩子们用的笔记本，一定要正面、反面都用完才能换新的。孩子们用的铅笔头用到手捏不住了，套上一个铁皮小圆筒还要接着用，直到实在不能用才能扔掉。小时候，焦跃进有一次嫌窝窝头难吃就给扔了，这时候焦裕禄并没有责骂他，而是捡起窝头在火上烤一烤，烤出了一股焦香，焦跃进接过窝头有滋有味地吃了起来。焦裕禄还教儿女合唱《我是一粒米》：“农民伯伯早起晚睡，每天种田地，一粒一粒米呀，来得不容易……”焦裕禄在临终的时候，把女儿焦守凤叫到跟前说：“爸爸要走了，爸爸也没有什么留给你的。”他摘下手上的旧手表给了女儿，说，“你已经是个工人了，戴上它不要迟到了。”还说：“我枕头底下还有两本书，等我不看了，也给你，你要好好读，那里面会告诉你怎么工作，怎么做人，怎么生活。”这两本书，一本是《毛泽东选集》，另一本是《论共产党员的修养》，现在这两本书收藏在兰考县焦裕禄纪念馆。焦裕禄去世后，妻子徐俊雅继承了他艰苦朴素的精神，把他留下的几件衣服修修补补，先是改成了大儿子的衣服，后来又传给了小儿子。

三、不搞特殊，不占公家一点便宜

“不搞特殊”是焦家最有底气的家风，焦裕禄一生“心里只装着老百姓，唯独没有他自己”，并把“领导干部的家属孩子不能搞特殊化”作为正身立家的准则和追求。在日常生活中，焦裕禄对自己和家人的要求可以说到了苛刻的地步，他严格要求家人生活不能搞特殊化，不能收受别人的任何东西，不能占公家一点便宜。调任兰考工作后，他的家就在县委大院里，他差不多天天下乡，忙得昏天黑地，妻子徐俊雅在统计科工作，也经常加班，有一次徐俊雅急着做饭，家里没水了，从县委伙房要了半桶水。焦裕禄下乡回来看见了，他就批评这种从县委伙房要水的行为是剥削行为，让徐俊雅把水送回去，此后徐俊雅每天去几里路外自己挑水，一瓢水也没从县委伙房要过，焦裕禄对自己的家人就是这样严格要求，让他们明白公家的便宜一分也不能占。

焦裕禄到兰考工作后不久，有一天正上小学的焦国庆听见与县委一墙之隔的剧院锣鼓咚咚响，他好奇地赶到剧院想进去看戏，可是焦国庆没有钱买票，只好在门口探个小脑袋挤来挤去，检票员看到他磨磨蹭蹭不走，问他是谁，当检票员得知他是焦裕禄的孩子，就放他进去白看了一场戏。看完戏回到家，焦裕禄问儿子：“别的孩子都早早睡了，你那么晚回来，干吗去了？”焦国庆承认看戏去了。“那你哪来钱买的票？”“没买票。”“没买票怎么进去了？”当焦国庆把经过复述完，焦裕禄大为生气，他教育焦国庆说：“国庆，你知不知道，看白戏，是剥削行为。因为演员演戏也是劳动，看戏就要买票。大家都不买票，那不乱套了。你是县委书记的儿子，更应该处处守规矩，不能搞特殊。你知道爸爸这个县委书记是干啥的？是为人民服务的。爸爸自己都没有看白戏的权力！你现在还小，就有了这种特殊的思想，一张戏票是小便宜，长大了就要去沾大便宜，就更危险了。你知道不？”焦裕禄第二天带着焦国庆去剧场认错，并补上了两毛钱的戏票款。而这一去，焦裕禄发现了新问题，原来剧场一直把前三排的座位空着不卖票，说是留给县里领导的，其中第三排最中间的位置就是留给他的。

这件事让焦裕禄很吃惊，他没想到还有这样的事，就主持召开县委扩大会议，以剧院的事为例，举一反三，制定了《干部十不准》。一是不准用国家或集体的粮食大吃大喝，请客送礼。二是不准参加封建迷信活动。三是不准赌博。四是不准挥霍浪费粮食，用粮食做酒做糖。五是不准用集体粮款或向社员摊派粮款演戏、演电影。谁看戏谁拿钱，谁吃饭谁拿钱。六是业余剧团只能在本乡、本队演出，不准借春节演出为名，大买服装、道具、铺张浪费。七是各机关、学校、企业单位的党员干部都要以身作则，勤俭过年，一律不准请客送礼，不准拿国家物资到生产队换取农、副产品，不准用公款组织晚会，不准送戏票。礼堂十排以前的戏票不能光卖给机关干部，要按先后顺序卖票，一律不准到商业部门要特殊照顾。八是不准利用职权到生产队或其他部门索取物资。九是积极搞好集体的副业生产，增加收入，改善生活，不准弃农经商，不准投机倒把。十是不准借春节之机大办喜事，祝寿吃喜，大放鞭炮，挥霍浪费。

还有一次，焦裕禄的侄子千里迢迢从山东到兰考找焦裕禄帮忙安排工作，焦裕禄就跟侄子说："我有这个能力，但是我没有这个权力，我们招工也好，我们安排人也好，那都是有计划有政策的，我作为一个县委书记，如果我带头破坏了这个规矩，还怎么要求别人呢?"他跟侄子说，"你是一个初中毕业生，在农村来讲那也算是一个知识分子，你在农村好好学习，一定会大有作为。"焦裕禄给了侄子一支钢笔，让侄子回去好好学习。在焦裕禄的劝说之下，他的侄子还是回到农村当了一辈子老实本分的农民。

受到父亲焦裕禄的影响，焦家几个子女为人处世低调，严于律己，从不搞特殊，这么多年来，那个终日忙碌、身影高大的父亲在他们心里并未走远。焦裕禄去世后，妻子徐俊雅也一直坚守着焦裕禄的家风，她经常告诫子女："你们一定要严格要求自己，因为你们如果做错事，人家不会说你是我徐俊雅的孩子，而会说你们是焦裕禄的孩子。"焦裕禄生前曾嘱咐家人，任何时候都不能向政府要补助要照顾，焦裕禄去世后，有人劝焦裕禄妻子徐俊雅及子女："时代变了。"他们说："心不能变。"几十年来在徐俊雅及子女的心里，焦裕禄是一面镜子，他们用这面镜子照着焦家，决不许有丝毫偏差，徐俊雅告诫孩子们："焦裕禄的家人，这个名号，我们全家要当得起，你们每一个人都要当得起。"

焦裕禄和徐俊雅的嘱咐成了子女们一生的原则，虽然焦家人有困难找到政府要求帮助可能会得到解决，但焦家没有这样的风气，焦裕禄的六个子女一直遵照焦裕禄的遗嘱，"任何时候都不向政府要补助、要照顾，不搞特殊化"。长女焦守凤、长子焦国庆、次女焦守云分别从开封市总工会、开封市地税局和郑州市科技情报研究所退休；三女焦守军曾在对越自卫反击战中两次参战并多次荣立战功；次子焦跃进当过知青，一步步从基层做起，成为开封市政协主席；三子焦保钢因工作积劳成疾而去世，孩子们认为："爸爸既是精神财富，也是一种压力在鞭策，决不能给他老人家脸上抹黑。"正是因为受到焦裕禄言传身教的影响，焦家后人才能在不断变化的时代中站稳脚跟，一直恪守焦门家风并使之历久弥新。

1964年，焦裕禄在兰考县委书记任上因患肝癌不幸病逝，年仅42岁。焦裕禄虽然离去，但他给焦家留下的家风深刻影响着他的妻子及后代。焦裕禄忠实于党的事业，忠实于人民群众，永远把党和人民的利益当成自己最高的利益，清清白白做人，踏踏实实做事，平平实实做官，焦裕禄的子孙们在焦裕禄家风的浸润下恪守家规，诚实劳动，自食其力，焦家的每一个后人都努力做一名好公民、好党员、好干部，正是这样优良的家风奠定了焦家后人坚实的人生基石，浸润着廉洁的宗旨和优良的传统。焦裕禄离开我们五十多年了，但焦裕禄的家风在这半个世纪里依然赓续不断，广为流布。

“焦裕禄同志是县委书记的榜样，也是全党的榜样，他虽然离开我们50年了，但他的事迹永远为人们传颂。”2014年，习近平总书记在兰考调研时深情指出，他的精神同井冈山精神、延安精神、雷锋精神等革命传统和伟大精神一样，过去是、现在是、将来仍然是我们党的宝贵精神财富，我们要永远向他学习。伟哉！焦门家风！

第十九章 杨善洲：自强自立自清的家风

我的家属子女坐林场配给我的车要付车费，为什么呢？购买车子是办公用的，不是接送家属子女的。不在领导干部岗位了，原则仍要坚持。我手中是有权，但它是党和人民的，它只能老老实实用来办公事。捞油水的机会还是有的，但我没有捞。共产党员，拿着工资为人民服务再要钱，那怎么成？大家都在穷，我一个地委书记能富得起来吗？

——杨善洲

“再为老百姓造一座青山”，这样的豪言壮语，出自杨善洲，在他的退休之年。

出身贫寒、一生清苦的杨善洲从云南省保山地委书记任上退下时，省领导安排他到昆明休养。他回绝了，离开工作岗位后，就一头扎进荒芜的大亮山。当时多数人认为，他是心血来潮，六十几岁，面对一座荒山，能坚持几天呢？但多年来，杨善洲风餐露宿，测量、研究、种植、管理，事事身先士卒，在他的感召下，当地人克服了资金短缺、环境苦难、病虫害等种种困难，在十几年间，终于让大亮山改变了模样。当地人们的生活也随之改观。杨善洲终于实现了自己对家乡人们的誓言，而他不但没有从这片山林中为自己拿任何利益，还把自己的工资搭到山林的种植管理中。2009年4月，杨善洲把价值3亿元的林场无偿交付国家。他一直甘守清贫，直到2010年10月10日，走到生命的尽头。青山有幸，见证了一个人对家乡的热爱，对国家和人民的忠诚。

杨善洲生前获得了很多荣誉，比如云南省“优秀共产党员”、“全国十大绿化标兵”提名奖、“全国环境保护杰出贡献者”等，但对三个女儿来说，他是个难得见面的、沉默的父亲。但是，这沉默恰如山林，对后人是无语的、丰厚的馈赠。正如他的二女儿杨惠兰所说，自己的家庭不是什么书香门第，父亲也没说过什么豪言壮语，他给家庭留下的是淳朴与踏实。这就是他的家风。

一、不拿别人一点东西

杨善洲与妻子张玉珍都是贫寒人家出身，组成家庭之后，生活也一直不富裕。三个女儿出生之后，家里的日子就越发紧巴。即使后来当了干部，家人依然住在大山里，妻子带着孩子与老母亲过着艰苦的日子。粮食不够吃，妻子就上山找野菜充饥；没有钱上学，她就清晨上山摘野果，夜晚熬夜编粪箕、扎扫把，然后挑到街上去卖，一分一分地给孩子们攒出学费。

1970年，三女儿杨惠琴出生，原本就紧巴的日子，就更显艰难。家里缺粮，一家人只能采来野菜，掺上杂粮，勉强度日。乡民政干部了解到他们的情况，实在不忍心，就给杨善洲家里送去30斤救济大米和30斤粮票。后来，杨善洲得知此事，责怪张玉珍说，自己是党员干部，更不能麻烦别人，拿人家的东西，并催促妻子，一定要把粮食和粮票还回去。张玉珍了解丈夫的脾气，知道他的坚持，但是看着几个孩子，尤其是刚出生不久的三女儿，真是不忍心。但就是这样，她还是节衣缩食大半年，硬是还完了这30斤大米和30斤粮票。

孩子大一点，杨善洲对孩子也是这样要求，别人的东西一点都不能拿。有一次，三女儿杨惠琴遇到一位在甘蔗基地工作的阿姨，这位好心阿姨送给她3根甘蔗。在那个食品相对短缺的年代，甘蔗对孩子来说，可是无比难得的东西。当杨惠琴拿着甘蔗跑回家正准备美美地享用时，杨善洲恰好回家，看见甘蔗便问是哪里来的。杨惠琴不敢隐瞒，如实回答。听完之后，杨善洲脸一沉，严厉地责备了女儿，并要求她赶紧把甘蔗给人家送过去。女儿没有办法，只得含着眼泪把甘蔗送回去。

有人可能认为这样的要求有点苛刻，几十斤粮食，几根甘蔗，不至如此。但是，凡事都是小处做好，大处才能顺当。三个女儿的婚事，是杨善洲一生中重大的事件。而且，随着杨善洲的官越来越大，人们对他女儿婚姻与婚礼的期待也越来越高。但是，从不拿别人一点东西的杨善洲，把这一信条始终贯彻。1968年，大女儿杨惠菊结婚，做县委书记的杨善洲寄回来30元钱，并嘱咐家人一切从简，不准请客，不准收礼。寨邻亲戚你几毛、我一元的七拼八凑凑了45元，勉强帮着把婚事办了。到1985年，二女儿杨惠兰结婚，已经是地委书记的杨善洲的规矩依然不变，把送礼的口子封得死死的。小女儿杨惠琴结婚，已经是1993年的事情了，整个社会的经济条件都有了极大的改善，尽管时代不同了，但是杨善洲的规矩不变。他仍是叮嘱女儿婚礼从简，少请几桌，自己拿出1000元钱给了女儿。最终，婚宴没有超过10桌。那天，已经在开发大亮山的杨善洲难得穿了一身干净的蓝色中山装，那时的他在整个云南的政府部门中可谓德高望重，但是在女儿的婚礼上，没有宾从，没有谈笑风生，他只是静静地坐在角落里，慢慢地吃着饭，脸上带着平静的笑意，看着那个被他要求退还甘蔗的小女儿步入婚姻的殿堂。

这份平静，就是父亲对女儿最好的祝福吧。而这份平静背后，有他多年来的克勤克俭，有他对于生活，对于如何持家、育人、为政的理解和持守。

二、不占公家一点便宜

从参加工作到退休，风风雨雨三十五年，无论是基层干事，还是后来的地委书记，杨善洲始终保持着艰苦朴素，两袖清风。权力，对于他来讲，只是服务的手段，从不是盈利的工具。他从来不因为自己的身份，多拿多占，攀俯取巧，自己常年住在办公室旁一间10多平方米的小屋里，他对家人的要求也是，绝对不占国家一点便宜。这样几十年如一日，从一点一滴中贯彻到家人的身心当中，俨然成为杨家的无言之教。

他从不利用身份给自己谋便利，这可以从一纸发黄的证明信说起。杨善洲去世之后，二女儿杨惠兰整理他的遗物，打开一个锁着的抽屉，发现一张“农转非”表格，压在箱底多年，已经发黄了。原来，早在1964年杨善洲担任施甸县委书记时，组织上就提出要把他爱人转为城镇户口，他谢绝了；1978年，上级组织部门有个通知，他在农村的妻子、母亲、不满16岁的子女可以转为城市户口，可当组织部门把表格给他以后，他却转手塞进了抽屉。他说：“大家都去吃居民粮了，谁来种庄稼？身为领导干部，我应该带个好头。我相信我们的农村能建设好，我们全家都乐意和8亿农民同甘共苦建设家乡。”于是，这张空白的表格被杨善洲压在箱底，而他的老伴和大女儿一家，仍在农村老家做着普通的农民，说起来恐怕谁都不会相信。但事情就是这样的，杨善洲晚年也曾经向孩子们解释这件事，他说的很简单：“当时，在我们地委机关，大多数局长、科长的家属都在农村，我这个‘班长’的家属怎么能够先转呢？”

还有一件事情不得不提起，这是关于他的二儿女杨惠兰的。杨惠兰初中毕业后没有继续读高中，他曾劝过，但是女儿坚持，他也就没有再劝。回到家乡之后，杨惠兰进入了当地的一所学校，当上了民办教师，只是代课。当时，民办教师的待遇并不高。干了一段时间之后，惠兰有了其他想法。恰好，此时公安部门公开招考警员，杨惠兰满怀信心报了名，还特意给爸爸打了电话，用意自然是想让当领导的爸爸为自己走动走动，打个招呼说句话，事情就应该是十拿九稳了。杨惠兰稳坐家中，等待好消息的降临。但是，出乎意料的是，录取名单一出来，并没有她的名字。原来，杨善洲根本就没有向谁打招呼。女儿窝了一肚子气，只好回去继续当代课老师。后来，杨惠兰还是靠着自己的努力，通过考试成为一名正式的公办教师。“人一辈子，都要靠自己的本事吃饭。”杨惠兰对父亲说的这句话记忆最深。

公私之间，大事如此，小事也不例外。最典型的，就是坐车。山路难走，按照级别，杨善洲有自己的专车，但这车家人是从来都不能坐的。当然，也有例外的时候。1994年，小女儿杨惠琴即将分娩，女婿跟杨善洲说：“爸，老三快生了，有些紧张，我妈说要来看看，她年纪大了，走路不利索，还晕车，是不是请林场的车子去接一下?”杨善洲爽快地答应了。这份爽快，女婿都没有想到，心想老爷子终于开通了一回。可是把人接来之后，杨善洲却掏出376元交给驾驶员，说是跑这趟车的油费、过路费，让他拿回去交给财务人员。当场的人哭笑不得，但是杨善洲却非常严厉，不占公家一点便宜，是他一辈子的规矩。

有人可能认为这有点小题大做，但是杨善洲有自己的解释，他曾说过：我的家属子女坐林场配给我的车要付车费，为什么呢？购买车子是办公用的，不是接送家属子女的。不在领导干部岗位了，原则仍要坚持。我手中是有权，但它是党和人民的，它只能老老实实用来办公事。捞油水的机会还是有的，但我没有捞。共产党员，拿着工资为人民服务再要钱，那怎么成？大家都在穷，我一个地委书记能富得起来吗？

在一幅杨善洲的全家福中有15人，其中，生活在农村的8人，去世4人，其余11个人现在都靠着自己的本事吃饭。杨惠兰说：“是父亲用一生的自律留给了家人一个平安、清白的人生，一个自食其力、甘于平凡的人生。”

三、再给人民做点贡献

杨善洲担任地委领导期间，有乡亲不只一次找上门，希望他能够利用手中的权力，为自己的家乡办点事情。但是，杨善洲心里清楚，自己是国家的干部，是保山地区的书记，哪能光想着自己的家乡呢？因此，他拒绝了这样的要求。但是事情好拒，乡情却难舍。为家乡人办点事情，一直是他心中的愿望。于是，杨善洲向自己的乡亲们承诺，等退休后，一定帮家乡办点实事。

1988年，杨善洲到了退休的时候，云南省主要领导希望他能够到昆明休养，如果愿意也可以进入政协，再做一点工作。对于干部，这当然是一种褒奖。对于家庭，其实也是一种交代。几十年来，杨善洲参加工作之后，就一直在外地，夫妻俩可谓聚少离多，他对家庭的照顾一直不够。后来，杨善洲自己谈起此事也曾写道："我出来工作，家庭是很困难的，家有老母亲、老伴儿，后来又有3个娃娃，就靠老伴儿在家养老供小，我根本没有时间照顾家庭……我对家庭欠债很多……"因此，得知父亲会被安排到云南养老，女儿们都非常欣慰，这下父亲终于可以有更多的时间陪伴母亲了。但是，出乎所有人的意料，杨善洲拒绝了提议。女儿们当然都劝父亲，你年纪大了，任职的地方环境又恶劣，身体肯定吃不消。面对家人的担忧，杨善洲讲起了他和乡亲们的往事。他向乡亲们承诺过，等退休后，一定要帮父老乡亲们办点实事。他的心里一直装着这个承诺。他要用自己的行动证明，共产党人说话是算话的，他就算退休了，还是可以为人民多做一点贡献。于是，60岁的他，在人们退休的时候，再次踏上了创业路，而且一干就是20年，是艰苦卓绝的20年。

当乡亲们得知他要在大亮山种树，改造环境，造福乡里，人们表现出来的不是欣喜而是反对。很多人都劝他不要来，因为那时的大亮山不要说经济作物，就是连野樱桃和锯木树都不长。乡亲们劝他，就是种树，也换个地方吧。

杨善洲没有听劝，他找到相关领导、带着技术人员进驻山中，考察、实验、选址，干得热火朝天。乡亲们看到了他的努力，都深受感动。纷纷效仿老书记，扛起工具走进山中。人们的热情起来了，但是资金又成了问题。没有那么多钱盖房子，他就自费买来材料建起了油毛毡房40多格，带着大家住了进去。其实，这里边还有一个插曲。孩子们怕他身体受不了，一起集资，也就是东拼西凑，凑了50000元钱，给他盖了一间瓦房。杨善洲不愿女儿们因为自己背上债务，最重要的是他自己也不能搞特殊。他愣是一天没住，就把盖好的房子卖了，也和大家一起住进了毡房。一位记者就这件事情问过他，开始他不愿多讲，后来，经不住记者的再三询问，杨善洲有点急了，他大声反问："我是共产党员，能光想着自己？把自己的家搞得富丽堂皇，别人却过着艰难的日子，那么，我们常说的完全、彻底地为人民服务，不是成了骗人的假话了吗？"

就是凭着这个信念，这毡房一住就是8年，有3个职工甚至住了9年半才搬出去。住的问题解决了，但农具、桌椅、床铺都需要钱，怎么办？自己做。杨善洲带着大家就地取材，自己动手，晚上照明没有电，每人就擎着一盏马灯。就是用这种几乎原始的生产方式，树木重新绿上了荒山，溪水重新跃进了山涧。

杨善洲不满足只是让山绿起来，他真正的心愿是让乡亲们富起来。随着改革开放的深入，他敏锐地捕捉到时代的律动。林场要以林养林，要提高经济效益。于是，他们从广东、福建等地引进更富经济价值的作物。引进龙眼树苗，开辟了龙眼水果基地；结合施甸县的地理条件，种植茶树，建起茶场。他们生产的黑山银峰茶，1994年曾荣获云南省农业厅优质产品称号，在市场上供不应求。杨善洲号召林场职工开拓新的生产经营领域，在他和林场职工的努力下，大亮山林场没有几年时间就红火起来了，产业扩大、经济效益也逐步显现出来。一座荒山，在他的治理之下，变成了绿水青山，金山银山。

20年的艰苦创业，虽筚路蓝缕，但成果斐然。大亮山，7.2万亩树木葱茏，自然环境得到极大改善，树木的经济价值超过了3亿元。同时，多种经营的开展，也着实让乡亲们的生活得到改善。更为可贵的是，2009年4月，82岁的杨善洲将大亮山林场经营管理权无偿移交给国家，并且谢绝当地政府的任何奖励。他用自己的生命实践了自己对乡亲们的承诺，再为人民多做一点贡献，再尽一份生命的余热，而这点贡献、这份余热不仅照亮了大山，更照亮了人们的生活。

“清廉，自上任时起；奉献，直到最后一天。”杨善洲用自己的一言一行给子孙后代留下了受用不尽的精神财富。二女儿杨惠兰曾说，自己的家庭不是什么书香门第，父亲也没说过什么豪言壮语。他不说什么，只是做，一点、一点、一点地去做，做一个丈夫应该给妻子做的，一个父亲应该给孩子做的，一个共产党员应该给人民做的。一点一点，就成了最踏实、最有效的教育，这就是杨善洲的家风，朴实无华，却温厚持久。他以切身踏实的实践交给后来者简单的道理，给家人一个平安、清白的人生。

第二十章　郑培民：做官先做人，万事民为先

人生一世，当有三立：『立功，立德，立言』，应抓紧时间，珍惜机遇，莫等闲，白了少年头，空悲切。

——郑培民写给儿子的信

俗话说，金杯银杯不如老百姓的口碑。老百姓口中有这样一个官，他叫“三不”书记：不唱高调，不做表面文章，不搞政绩工程；还有人叫他“三民”书记：爱民、亲民、一心为民。他就是湖南省原副省长郑培民。

2002年郑培民突发心肌梗死，入京就医时留下的最后一句话是：“不要闯红灯。”这句话简直就是他一生的写照：权力是人民赋予的，要克己奉公，不在任何时候谋私利。同年，他入选“感动中国”十大人物，在观众感动的泪光中，组委会给了他这样一段评价：他身居高位而心系百姓，他以“做官先做人，万事民为先”作为自己的行为标准，直到生命的最后时刻仍然不忘自己曾经许下的诺言；他树立了一个共产党人的品德风范，在人民心里树立起一座公正廉洁、为民服务的丰碑。

郑培民的一生，给国家和人民留下了宝贵的财富，与他最亲近的家人，更是从他的言传身教中，吸取了精神与人格的滋养。家风正，则国风正。好的家风培养，不仅是对子女的影响，甚至可以影响到整个国家、整个时代。郑培民正是这样的道德楷模，他给子女乃至整个时代的家庭教育提供了一个杰出的道德范本。

一、“对待身外之物，要铁石心肠”

在很多人眼中，权与利总是相伴而生，有些人以人民赋予他的权利，为自己谋私利，权钱交易，废公就私，在利益面前丧失本色与人格。身为省级干部，手握实权的郑培民当然也少不了利益的考验。面对考验，他是怎么应对的呢?

据说，升任省委副书记后，郑培民的家被盗了。两个胆大妄为的小偷撬门进入没有装防盗门的郑培民家中，把所有的抽屉全倒出来，连柜子里的衣服也全都抖出来捏过了，居然没有找到任何值钱的东西。翻腾到最后，他们只从郑家偷了4000元现金和两条烟。几个月后，盗窃案告破，小偷坦白的与郑家报案的数字，完全吻合。而懊恼的小偷们当然不会知道，就是这4000元钱，还不是本家主人的，它是郑培民女儿出差后尚未归还的公款，只是暂时存放在家中。

郑培民清白如此，那么他是如何经得住考验的呢？妻子杨力求总结，就一句话：对待身外之物，要铁石心肠。对于下级单位送的礼物，郑培民从来是能拒就拒，自己拒不了就让秘书去退。他不仅自己如此，也常常拿这句话教导家人。妻子杨力求非常敬佩丈夫的为人，她自己也设定了一个“三不”原则：不帮人向郑培民带任何信，不传口信，不接受任何礼品。父母以身作则，儿子当然心生效仿。他们的儿子说：“在廉政问题上，爸爸把前门，妈妈守后门。”在这个家中，权力永远是为人民服务的，不给公权私用留哪怕一点点空间。郑培民曾经说：“党和人民信任我，给了我一定的权力，我就要不辜负党和人民的信任，清清白白为官，老老实实做人。”

为了这份清白，郑培民时刻警惕。郑培民是个集邮爱好者，但是这个唯一的爱好，很少有人知道。原因很简单，他怕有人因此投其所好。

在工作中，中国讲究迎来送往，尤其是职务调任，特别是升迁，总少不了人们的礼送。礼送是情感交际，但现实中，有时难免变质成了送礼。郑培民对此非常警觉，无论是调离湘潭还是调离湘西，他总是悄悄地来，静静地走，从不大肆张扬、铺张排场，这既不惊扰大家的工作，也杜绝了迎来送往的陋习。

在湘西州工作时，郑培民有这样一段日记："这次回湘潭度春节，我谢绝了办公室派车送我的盛情，同时谢绝了办公室要为我报销路费的好意。坚持自费返家，往返火车票近80元，自己掏腰包。有人讲我太板，我想，宁肯自己吃亏，对自己严格要求，是一个共产党员，特别是领导干部应当自觉做到的。"

有人讲他刻板，似乎在讲他做事不近人情。但是，他并非不近人情，他也收礼，比如老部下、老同事，新年串个门儿，拿一篮水果，两桶瓜子，这礼是收的，但他还回礼，回的总比送的多。收这礼是人情，但不会因为收礼而办事情。这就是他总挂在嘴边的那句话："情浓钱淡，永葆清白。"

张国骥曾做过郑培民的秘书，多年来对郑培民有着极为真挚的感情。他曾回忆说，郑培民书记是他的领导，但同时更像一位好老师、好兄长、好朋友。在卸任郑培民的秘书后，他曾为郑培民的为官为人做过总结：春风大雅能容物，秋水文章不染尘。这用以形容郑培民为官为人，一是高洁，二是宽容。后来，张国骥请了一位书法家，将这两句诗写了下来送给了郑培民。郑培民收下了，这也是他送给郑培民的唯一礼物。

"大浪淘沙，警钟长鸣，不忘宗旨，永葆本色"，郑培民总是拿这几句话勉励和要求自己，斯人已去，而这种对待身外之物的态度，对待权力与人民所赋予他使命的精神，已经变成了他留给后人的丰厚的精神遗产，时时被后来者享用。

二、亲情常在永相伴

郑培民对“不义之财”有一副铁石心肠，但是对自己的家人，却有他温情的一面。修身、齐家、治国、平天下，中国人讲求修养的一贯性，家庭和睦在一定程度上，既关联着自身的道德素质，也关联着事业发展。郑培民虽然工作很忙，但对家庭、对妻子与儿女的关爱，从来没有任何的削减，只是表现的形式有所不同而已。

在妻子杨力求的眼中，郑培民是打着灯笼也难找的好丈夫，这个好不是他能帮自己多少忙，给自己带来多少荣耀，办多少事，而是发自内心的由衷赞叹。

郑培民的日记中有这样两段话，一段是关于爱人杨力求的，他写道：

手拉手，户外走，说说话，散散心，情切切，意绵绵，身体好，永相伴。

还有一段是关于孩子们的，他写道：

在吉首给两个孩子分别订做了一件羽绒上衣，这是我给孩子们买东西中最大的一次，计247.61元。不占企业的一点便宜。

这是他对家人表达爱的方式，动情而无私。

郑培民与妻子几十年夫妻，互敬互爱，他的官越当越大，手中的权力越来越大，能办的事情越来越多，但是妻子杨力求一直是图书馆的管理员，唯一调动一次的工作，是从湘潭市新华书店调到了省直新华书店，依然是一名普通职工。调到长沙后，杨力求上班要走40多分钟。她不会骑自行车，乘公共汽车也不方便，多年来就一直走路上下班。郑培民看在眼里，也疼在心里，他多次托人为妻子买鞋，指明买那种平底粘胶的鞋子，务必柔软舒适，他希望妻子每天走在路上能舒服一些，但就是这个有情有义的丈夫却从不让妻子搭他的顺风车。妻子理解他，他对她不是没有爱，而是有原则的爱，是大爱当先。郑培民爱妻子，但作为人民公仆，首先要爱他的人民，敬畏、慎用人民赋予他的权力。这种爱的表达里，妻子懂得，有更深远的期待。她曾回忆说："所有这些怀念，都是因为老郑是一个值得怀念的人，是一个不需要雕塑的高尚的人，是一个永远活在人民心中的共产党人。"

郑培民很忙，从基层公务员，到地方，再到省里都是如此。郑培民亲近百姓，常常到百姓中间走走看看，感受百姓苦乐。下农村，郑培民要到农民家去，掀开锅盖瞧瞧吃的什么饭，看看猪圈牛栏的家畜，撩开蚊帐摸摸农民床上的被褥。郑培民也爱在农民家吃饭，筷子直奔油辣的农家菜，粗糙的饭食也嚼得津津有味。凡是群众写给他的信，郑培民总是坚持自己拆看，及时了解，甚至回复。有时，他还会借宿在农家。这样一来，忙碌的他就难免减少对家人的照顾，但是，时间有限，真情却无限，一有机会，他就会尽全力照顾妻子与家人。

据妻子杨力求回忆，每年的大年三十，郑培民都会亲自动手给全家包一顿饺子，从买菜、摘菜、和面、擀皮、剁馅儿、包煮再到出锅，盛到妻子的碗里，绝对不让别人插手。孩子们长大了，想帮帮忙，郑培民总是说："你们的妈妈一年到头为我做，我只不过为她做这一顿，你们就成全我吧。"就是简单的一顿饭，却可以看出郑培民对妻子发自内心的爱。这份理解与敬爱，深刻地影响着孩子的成长，后来，在讲到父母的时候，孩子们都是满脸的自豪。这是一种爱的教育，父亲对家人的爱，是发自内心的、无私的，它与爱国爱民无悖，它属于这个家庭，是大爱的起点与基石。

三、不做特殊的那个

郑培民有一子一女，都已成家，他们在各自的工作岗位中有着自己的成绩与奉献。他们都有一个共同的特点，那就是，没有一点官二代的架子，没有一点高干子弟的特权意识。这与郑培民的言传身教是分不开的。

郑培民虽然很忙，与孩子们相处的机会很少，但是这并不影响他对孩子们的教育。孩子们说起父亲时总是非常崇敬，“父亲是伟大的，我们为父亲骄傲”是一双儿女的共识。榜样的力量是无穷的，父亲的言行就是对儿女最好的教育。郑培民为官为政多年，深知权力是一柄双刃剑，所以，他在对孩子们的教育中，时时刻刻不忘的就是打消孩子们的特权意识，不做特殊的那个。这里边既有润物无声的身教，也有当头棒喝的言传。

身教方面，郑培民特别注意与人相处时的平等与相互尊重。要得到别人的尊重，首先要尊重别人，这是一句再简单不过的话，但做起来不容易，尤其是人一旦掌握了权力，就更容易凌驾于他人之上，让自己成为特殊的人，让自己的子女也成了特殊的人。郑培民则不然，他总是把对他人的尊重摆在第一位，让与他共事的人感到有尊严、被尊重。

李德胜，湖南湘西桃源县漳江镇人。他开了个饭店，说是饭店，其实就是个灰头土脸的小门脸儿。几条桌椅，一把炒勺，如果车开得快一点，一眨眼的功夫就能把它略过。李德胜身有残疾，干不了重活，弄个饭店勉强度日，其中的艰难可想而知。时任湘西地委书记的郑培民每次往来湘西与长沙，只要是坐汽车，准会到李德胜的小店吃饭。每次，郑培民都要从包包里扯出一条特意带来的香烟：“给，拿着抽！”李德胜也有礼物回赠：自家腌制的酸萝卜泡菜。两人多年相交，一个市里的大领导，一个店铺的小老板，就这样达成了难得的默契。后来，郑培民升任省级领导，到桃源县的机会少了，但只要路过，总要到李德胜的小店坐一坐，吃一顿。郑培民依然是笑脸不改，该多少饭钱，算得清清楚楚。随行人员有时不解，李德胜的小饭馆所处的位置并非前不着村后不着店，距该地不远也有更像样的饭馆，而李德胜做菜的手艺其实也没有出众的地方，郑书记这么大的领导为什么非要选择这个地方呢？跟随郑培民的秘书、司机却都明白，郑培民这么做，是为了照顾李德胜一家的生计。可郑培民却又从不说破，他顾及的是残疾人既要养家糊口，又不轻易受人施舍的尊严。这样平等待人，尊重他人的例子在郑培民的生活中不胜枚举。

曾令超，原来是一位司法干部，在一次维护社会治安事件中，因公受伤双目失明。后来，他从原岗位退下，从事文学创作活动。他听人说起，郑培民兼任省残联名誉主席，就写信过去，希望得到郑培民的题词。说心里话，写这封信时，曾令超心里多少有点疑虑，并早就打定了主意，信就写一封信，如果郑培民不回信，也绝不再写，省得别人说自己巴结权贵。但让曾令超想不到的是，过了不久，郑培民不仅回了信，还主动打了电话。两人畅聊了半个多小时，郑培民详细询问了曾令超的各种情况。最后，郑培民一定要等到曾令超放下电话后，自己才挂电话。后来，两人常通电话，渐渐达成默契，总是老曾咔哒一下挂断电话，郑培民才安心地把电话放下。两人见面时，郑培民一把抱住曾令超，说："你摸摸我，咱俩高矮胖瘦差不多！"之后，热茶倒好，他先放在一边，等到不烫了，郑培民才端到曾令超手上，说："现在可以喝了。"这些为人处世上的点滴，都充分体现了郑培民对人发自内心的热忱与尊重，也正是这份尊重，让他赢得了人们对他的敬爱，这份敬爱，早已超出级别与身份，这是一个人对另一个人的认可，也是一切事业的基石、教育的起点。

有了权力，不让自己成为特殊的一个，是郑培民对自己的要求，不让孩子们成为特殊的一个，是他对孩子们的期待。他的子女从小到大，从来没有打着父亲的招牌走关系、找门路、打招呼。这一习惯的养成，有赖于郑培民从小对他们的教育。

儿子在湘潭大学读书时，有一次郑培民从长沙去六七十公里外的湘潭开会，正在家中休假的孩子便想搭便车去学校。谁知郑培民一上车，看到已坐在车里的儿子，立即严辞厉色、毫不留情地把孩子从车上轰了下来。从小处做起，防微杜渐，不以公权谋私利，把儿子从车上轰下去，不是不爱，而是让儿子知道，父亲的权力是人民赋予的，它能而且只能为人民服务，绝不是谋取私利的手段。郑培民不给儿女享有特权的机会，或者说，从小在平等意识的培养下，他从人格中打消了儿女们特殊化以及特权化的意识。

四、读书，是创造财富的能力

郑培民曾这样鼓励自己的孩子们读书上进："与其我留给你们财富，不如给你们留下创造财富的能力。读书，就是创造财富的能力！"爱，在他这里，是对孩子们人生更为长远的期待。

在儿女的回忆中，父亲总是默默无言，难得一句话。甚至在儿女出门的时候，当父亲的也只是默默地帮助他们收拾行李，衣服一件件摆放整齐，暖心的话却少之又少。但是，他有两次对孩子们的长篇大论，却都与读书相关。

一次，是对女儿郑海蓉，他讲了一套盖楼的理论。随着女儿慢慢长大，也开始接触到社会当中一些不良的风气，他专门找女儿谈心，他的这番话让女儿铭记在心。郑海蓉后来回忆，父亲告诉她说："读书就好比盖房子，有些人很早就不读书了，出来利用各种社会关系攒钱，就好比很早就拥有自己的一栋房子，当然令人羡慕，但你们如果继续好好读书，一步一个脚印，踏踏实实把基础打牢，你们就可以盖起几十层的高楼大厦来，你们说是楼房令人羡慕，还是大厦令人羡慕呢？"

还有一次，是对儿子。那是儿子作为大学生代表去台湾参加交流活动前，他郑重其事地给儿子讲起，这次出门要做什么、说什么。

"多给大家讲讲湖南吧！湖南的特点是三乡一地。鱼米之乡，袁隆平的杂交水稻，刘筠教授培育的湘云鲫是突出的代表；还是有色金属和非金属矿之乡；一地，是旅游胜地，张家界、凤凰古城中外闻名！""湖南人会读书，'惟楚有材，于斯为盛'；会种粮，还是古人的话，'湖广熟，天下足'嘛！会打仗，从来就是无湘不成军！""湖南人有先忧后乐精神，范仲淹的《岳阳楼记》里写着，先天下之忧而忧，后天下之乐而乐；湖南人有求索精神，屈原说，'路漫漫其修远兮，吾将上下而求索'；湖南人有牺牲精神，谭嗣同有诗'我自横刀向天笑，去留肝胆两昆仑'；湖南人还有敢于革命的精神，毛主席的'为有牺牲多壮志，敢教日月换新天'，多么豪迈！多有气势！"他讲的是湖南的精神、湖南的成就，而这些精神与成就无一不与读书相关，这些是湖南的知识分子给湖南乃至整个国家、民族留下的财富和滋养，而读书，也是郑培民给自己的儿女留下的财富和滋养。

就在2002年春节快到的时候，妻子杨力求给在外求学的儿子郑海龙捎点东西，郑培民在信上写了这么几句话鼓励儿子："人生一世，当有三立：'立功，立德，立言'，应抓紧时间，珍惜机遇，莫等闲，白了少年头，空悲切。写给你，祝好，祝新春吉祥如意。"显然，儿子听了进去。后来，女儿读到了硕士，儿子读到了博士。女婿、儿媳也都是知识分子。他们虽然家庭条件优越，却从来没有特权意识，而是扎扎实实读书，一点一滴积累，在各自的工作岗位中奉献着、成就着，既成就着自己，也成就着父亲对他们殷切的期望。

这就是郑培民留给儿女的财富，从爱他为政的地方、为政的人民出发，谈文化、讲精神，这是多么深厚的父爱，对儿女多么深切的期待啊。这份爱，足以使他们品味一生。

2002年，因为繁重的工作，郑培民突发心肌梗死，在就医途中遇到红灯，时间紧迫，司机准备闯关。郑培民见状，说："不要闯红灯。"不久，他的头无力地靠在秘书身上，再也没有醒来。这是更深刻的教育，不论任何时候，都不因私废公。在法律法规面前，掌握权力也好，疾病袭身也罢，自己永远不做特殊的一个。这最后的一句话，肯定是虚弱又坚定的，这是他一生的总结，也是对后来者最后的教育。立德、为民、洁身、知爱，郑培民用自己的一生，实践了一个共产党员应有的品质，提供了一个有力的参照和杰出的道德范本。

参考文献

第一章

［1］张静如. 毛泽东研究全书[M]. 长春：长春出版社，1997.

［2］斯诺. 毛泽东自传[M]. 汪衡译，北京：国际文化出版公司，2009.

［3］郭德宏，陈登才，钟世虎. 毛泽东修身齐家管理[M]. 北京：红旗出版社，2015.

［4］陈桂生. 现代中国的教育魂：毛泽东与现代中国教育[M]. 沈阳：辽宁教育出版社，1993.

［5］丁晓平. 毛泽东的乡情世界[M]. 北京：中国青年出版社，2013.

［6］宋一秀，杨梅叶. 毛泽东的人际世界[M]. 北京：红旗出版社，1992.

［7］邵华，毛岸青. 我们的父亲毛泽东[M]. 北京：中国工人出版社，2014.

［8］曾珺. 毛泽东书信背后的故事[M]. 杭州：浙江人民出版社，2015.

［9］王爱枝. 谈笑人依旧：毛泽东与亲朋好友的交往[M]. 太原：山西人民出版社，2014.

［10］吴吉清. 在毛主席身边的日子里[M]. 北京：中央文献出版社，2007.

［11］孔祥涛. 毛泽东家风[M]. 北京：中国书籍出版社，2006.

［12］李敏. 我的父亲毛泽东[M]. 沈阳：辽宁人民出版社，2000.

第二章

［1］于俊道. 红墙里的领袖们：刘少奇实录［M］. 北京：中国工人出版社，2012.

［2］柏福临，陈绍畴，王作坤. 一代公仆刘少奇：下［M］. 长春：吉林人民出版社，1998.

［3］于俊道. 生活中的刘少奇［M］. 北京：解放军出版社，1999.

［4］黄祖琳. 刘少奇家世［M］. 上海：上海人民出版社，2009.

［5］张绛. 刘少奇一家［M］. 开封：河南大学出版社，2001.

［6］中国人民大学家书文化研究中心. 廉政家书［M］. 北京：中国方正出版社，2015.

第三章

［1］李新芝，刘晴. 周恩来纪事：（1898—1976）上［M］. 北京：中央文献出版社，2011.

［2］杨明伟. 周恩来［M］. 北京：中央文献出版社，1999.

［3］胡长明. 大智周恩来：伟人何以成为伟人［M］. 北京：光明日报出版社，2015.

［4］中共中央文献研究室. 周恩来邓颖超通信选集［M］. 北京：中央文献出版社，2014.

［5］房晓军，张子礼，胡业福. 中国共产党党性修养史论：1921—1966［M］. 北京：群众出版社，2016.

［6］李虹等. 周恩来和邓颖超［M］. 北京：中共中央党校出版社，1994.

［7］周秉德. 我的伯父周恩来［M］. 沈阳：辽宁人民出版社，2008.

第四章

［1］中共中央文献研究室. 朱德传［M］. 北京：中央文献出版社，2006.

［2］中共中央文献研究室. 朱德年谱：新编本［M］. 北京：中央文献出版社，2006.

［3］余玮. 真情朱德：共和国人民军队缔造者与总司令［M］. 北京：人民日

报出版社，2013.

［4］朱和平. 永久的记忆：和爷爷朱德、奶奶康克清一起生活的日子［M］. 北京：中国文史出版社，2015.

［5］于俊道. 红墙里的领袖们：朱德实录［M］. 北京：中国工人出版社，2012.

［6］王亚丽. 生活中的朱德［M］. 北京：解放军出版社，1999.

第五章

［1］中共中央文献研究室邓小平研究组. 永远的小平［M］. 成都：四川人民出版社，2014.

［2］余玮. 魅力邓小平［M］. 北京：团结出版社，2016.

［3］邓林. 我的父亲邓小平：图文版：下［M］. 北京：中央文献出版社，2013.

［4］武市红. 邓小平的平常生活［M］. 北京：中国文史出版社，2011.

第六章

［1］肖伟俐. 家风［M］. 北京：新华出版社，2006.

［2］中央文献研究室第三编研部，陈云纪念馆. 陈云家风［M］. 杭州：浙江人民美术出版社，2015.

［3］《陈云家风》编辑组. 陈云家风：于若木及陈云子女访谈录［M］. 北京：新华出版社，2005.

［4］东义，阿勇. 伟人的家风［M］. 成都：四川人民出版社，1992.

［5］蒋永清. 陈云的家风美德［J］. 湘潮，2017（9）：26–30.

［6］陈伟华，朱东君. 陈云家风［J］. 领导文萃，2015（21）：61–64.

［7］史真. 陈云家风［J］. 党史文汇，2018（7）：36–43.

［8］朱佳木. 陈云家风：共产党人的家风典范［J］. 百年潮，2015（6）：13–20.

［9］赵化南. 从陈云的“三不准”说起［J］.党的建设，2007（2）：38.

［10］贾丹. 克己奉公的陈云［J］.党史文汇，2013（4）：14–17.

［11］王若朴. 以普通劳动者自居，不搞特殊化：学习和弘扬陈云的治家理

念与家风传承[J]. 新湘评论，2015（1）：23-24.

第七章

[1]《彭真传》编写组. 彭真传[M]. 北京：中央文献出版社，2012.

[2] 肖伟俐. 家风[M]. 北京：新华出版社，2006.

[3] 中共临汾地委党史研究室. 彭真与家乡[M]. 北京：中共党史出版社，1998.

[4] 孟红. 本真为人的彭真[J]. 党史纵览，2007（11）：12-16.

[5] 孟素. 彭真的“真”味人生[J]. 党史文苑（纪实版），2012（10）：11-14.

[6] 王建柱. 冰清玉洁伉俪情深[J]. 共产党人，2006（23）：52-54.

[7] 郝建国. 彭真餐厅讲“大事”：班禅赴宴被蜂蜇[J]. 百年潮，2011（4）：25-29.

[8] 余玮，张洁清. 玉洁冰清最崇“真”[J]. 党史纵览，2015（8）：38-43.

第八章

[1] 中共汨罗县委宣传部. 怀念任弼时同志[M]. 长沙：湖南人民出版社，1979.

[2] 中共中央文献研究室综合研究组. 任弼时同志八十诞辰纪念集[M]. 北京：中国青年出版社，1985.

[3] 中共中央文献研究室. 任弼时传[M]. 北京：中央文献出版社，2004.

[4] 中共中央文献研究室. 任弼时书信选集[M]. 北京：中央文献出版社，2014.

[5] 中共中央文献研究室. 回忆任弼时[M]. 北京：中央文献出版社，2014.

第九章

[1]《陈毅传》编写组. 陈毅传[M]. 北京：当代中国出版社，2015.

[2] 刘树发，王小平. 陈毅口述自传[M]. 郑州：大象出版社，2010.

[3] 刘树发. 陈毅年谱[M]. 北京：人民出版社，1995.

[4] 陈昊苏. 陈毅诗选[M]. 北京：外语教学与研究出版社，2011.

［5］黄丽镛. 陈毅的读书生活［M］. 上海：上海人民出版社，2016.

［6］任芳瑶. 陈毅的家风［J］. 党史纵览，2017（10）：25–26.

［7］郝逸林. 陈毅严正家风的法宝："约法三章"［J］. 党史文汇，2013（5）：52–53.

［8］高中华. 陈毅与家人"约法三章"［N］. 人民日报，2015–04–28（18）.

第十章

［1］《黄克诚传》编写组. 黄克诚传［M］. 北京：当代中国出版社，2012.

［2］伏芳，郑博. 黄克诚故事［M］. 北京：解放军出版社，2014.

［3］郑博，肖思科. 黄克诚大将［M］. 北京：解放军文艺出版社，2005.

［4］曹晋杰. "节约标兵"黄克诚［J］. 文史春秋，2007（11）：36–38.

［5］武文笑. "堪称共产党人的楷模"：黄克诚大将革命风范二三事［J］. 中华魂，2018（1）：38–43.

［6］郭红梅. 大将黄克诚的家风［J］. 党史纵览，2015（7）：9–13

［7］王子君. 黄克诚的廉洁家风［J］. 党史文苑（纪实版），2017（4）：53–54.

［8］乔林生. 黄克诚家事［J］. 中华魂，1998（12）：32–34.

［9］王子君. 黄克诚：严守规矩不搞特殊化［J］. 湘潮，2017（2）：19–22.

第十一章

［1］湖南省长沙师范学校. 怀念徐特立同志［M］. 长沙：湖南人民出版社，1979.

［2］陈志明. 徐特立传［M］. 长沙：湖南人民出版社，1984.

［3］武衡，谈天民，戴永增. 徐特立文存［M］. 广州：广东教育出版社，1995.

［4］徐禹强，徐文浩. 万世师表徐特立［M］. 北京：中国档案出版社，1998.

［5］梁堂华. 圣人风范徐特立［M］. 北京：中国文联出版社，2010.

［6］徐舟. 我的外祖父：徐特立［J］. 徐特立研究，2002（1）：5–7.

第十二章

［1］吴玉章. 吴玉章回忆录[M]. 北京：中国青年出版社，1978.

［2］吴玉章. 吴玉章诗选[M]. 成都：四川人民出版社，1983.

［3］中共四川省委党史工作委员会《吴玉章传》编写组. 怀念吴老[M]. 重庆：重庆出版社，1986.

［4］中共四川省委党史工作委员会《吴玉章传》编写组. 吴玉章文集：下[M]. 重庆：重庆出版社，1987.

［5］程文，陈岳军. 吴玉章往来书信集[M]. 重庆：重庆大学出版社，1993.

［6］陈述琪. 吴玉章对联导读[M]. 成都：四川人民出版社，2010.

第十三章

［1］中共宁乡县委员会. 怀念谢觉哉同志[M]. 长沙：湖南人民出版社，1980.

［2］马连儒. 谢觉哉评传[M]. 长沙：湖南人民出版社，1989.

［3］谢飞. 谢觉哉家书[M]. 北京：生活・读书・新知三联书店，2015.

［4］王德蓉. 谢觉哉家风：做人民的勤务员[J]. 中国纪检监察，2017（9）：62–63.

第十四章

［1］湖北省社会科学院. 忆董老[M]. 武汉：湖北人民出版社，1980.

［2］董必武. 董必武选集[M]. 北京：人民出版社，1985.

［3］董良翚. 忆我的爸爸董必武[M]. 北京：中国文联出版公司，1995.

［4］胡传章，哈经雄. 董必武传记[M]. 武汉：湖北人民出版社，2006.

［5］董绍壬. 董必武家书[M]. 北京：生活・读书・新知三联书店，2016.

［6］董绍新. 爷爷董必武留给我的人生财富[J]. 党建，2018（5）：50–52.

第十五章

［1］方志敏. 可爱的中国[M]. 北京：中国友谊出版公司，2018.

［2］方志敏. 方志敏文集[M]. 南昌：江西人民出版社，1999.

［3］石凌鹤，李希文，石蔚春. 方志敏传［M］. 北京：人民出版社，1991.

［4］陈抚生，陈家鹏. 方志敏［M］. 南昌：江西人民出版社，2017.

［5］张品成. 方志敏［M］. 上海：百花洲文艺出版社，2012.

［6］刘明钢. 方志敏的狱中文稿是怎样写成的［J］. 党史文苑（纪实版），2012（5）：42–47.

［7］王德蓉. 方志敏的清贫家风［J］. 中国纪检监察，2016（12）：62–63.

［8］戴和杰，何剑芳. 方志敏：在清贫中担当［N］. 中国纪检监察报，2017–08–28（5）.

［9］吴学锋，余红举. 半条毛毯传家风［N］. 中国纪检监察报，2017–12–25（7）.

第十六章

［1］顾吉环，李明，涂元季. 钱学森文集［M］. 北京：国防工业出版社，2012.

［2］陈华新. 集大成得智慧：钱学森谈教育［M］. 上海：上海交通大学出版社，2007.

［3］王文华. 钱学森实录［M］. 成都：四川文艺出版社，2001.

［4］刘恕，涂元季. 钱学森论第六次产业革命通信集［M］. 北京：中国环境科学出版社，2001.

［5］张纯如. 蚕丝：钱学森传［M］. 鲁伊，译. 北京：中信出版社，2011.

［6］叶永烈. 钱学森［M］. 上海：上海交通大学出版社，2010.

［7］叶永烈. 走近钱学森：修订版［M］. 成都：四川人民出版社，2016.

［8］郭梅，张宇. 平凡造就的伟大：钱学森传［M］. 南京：江苏人民出版社，2010.

第十七章

［1］吴玉辉. 谷文昌：长篇报告文学［M］. 北京：中共中央党校出版社，2016.

［2］张红. 谷文昌的故事［M］. 福州：海峡文艺出版社，2016.

［3］姜信治. 不朽的丰碑：谷文昌精神干部学习读本［M］. 北京：党建读物出

版社，2015.

［4］孙永明. 做合格的共产党员：县委书记谷文昌［M］. 北京：人民日报出版社，2016.

［5］陈再生. 永远活在人民心中的县委书记：追寻谷文昌精神［M］. 厦门：厦门大学出版社，2017.

［6］王均伟. 谷文昌的清廉家风［J］. 中国纪检监察，2016（11）：63–64.

［7］吴焰，赵鹏，孔祥武. 人生一粒种　漫山木麻黄：谷文昌的生前事身后名［N］. 人民日报，2015–04–07（4）.

［8］郑良. 清白持家　简朴本分　为民奉献：谷文昌的家风［N］. 人民日报，2015–05–20（1）.

［9］何璐. 谷文昌：扎根东山岛　造林治风沙［N］. 人民日报，2018–12–03（6）.

第十八章

［1］《焦裕禄》编写小组. 焦裕禄［M］. 郑州：河南人民出版社，1990.

［2］穆青. 焦裕禄［M］. 北京：新华出版社，1980.

［3］王广平. 焦裕禄［M］. 北京：团结出版社，1999.

［4］焦裕禄干部学院. 永远的丰碑：焦裕禄的故事［M］. 郑州：大象出版社，2014.

［5］赵瑜. 焦裕禄家风［M］. 郑州：河南文艺出版社，2018.

［6］蔡萌. 焦裕禄家风研究［D］. 南昌：江西师范大学，2017.

［7］焦守云. 焦守云追忆父亲焦裕禄：三条家风［J］. 时代报告，2018（2）：76–79.

［8］新伟. 焦裕禄：红色家风的接力［J］. 党史纵览，2014（6）：14–20.

［9］焦守云. 父亲焦裕禄留给我们的家风［J］. 党建，2018（8）：38–41.

［10］王均伟. 好书记焦裕禄的家风［J］. 新湘评论，2017（10）：49–49.

［11］《紫光阁》编辑部. 焦家家风：热爱劳动、艰苦朴素、不搞特殊化［J］. 紫光阁，2016（11）：84.

［12］史晓韵，刘铭. 伟哉，焦门家风![J]. 人民周刊，2018（8）：72–73.

第十九章

［1］杨邵燕，冯庆庭. 研究杨善洲精神的价值[J]. 中共云南省委党校学报，2012（6）：86–88.

［2］石磊. 杨善洲精神的形成轨迹及特点[J]. 中共云南省委党校学报，2012（6）：89–91.

［3］中共保山市委宣传部. 杨善洲精神的基本内涵和时代价值. 云南日报，2012–04–18（7）.

［4］杨善洲精神的结构特征.云南日报，2012–04–18（7）.

［5］段静涛，杨必庆. 杨善洲精神价值体系研究[J]. 企业文化，2016（10）：49.

第二十章

［1］柴安应. 郑培民精神的时代意义[J]. 党员的生活（青海），2003（10）：23.

［2］鲁雁飞. 论郑培民精神的价值哲学[J]. 中国党政干部论坛，2008（9）：61–62.

［3］杨正辉. 论郑培民精神[J]. 湖湘论坛，2003，16（4）：4–6.

［4］段林杰. 郑培民精神的物质[J]. 党史文苑，2004（6）：24–25.

［5］李静，张媛媛. 立党为公执政为民与郑培民精神[J]. 辽宁工学院学报（社会科学版），2005，7（1）：1–3.

后　记

家风正，则作风优、党风清、政风淳。

近年来，党和国家尤其注重优秀家风的传承，习近平总书记指出："不论时代发生多大变化，不论生活格局发生多大变化，我们都要重视家庭建设，注重家庭、注重家教、注重家风。"在《中国共产党廉洁自律准则》中，"廉洁齐家，自觉带头树立良好家风"首次列为党员领导干部廉洁自律规范的重要内容之一。

中国共产党人历来注重家风传承，红色家风已经成为中国革命文化和社会主义先进文化的组成部分，突显了共产党人的先进性，诠释了中国共产党人的革命信仰与道德风貌，对当今社会具有广泛的榜样教育意义。因此，全面、深入地发掘红色家风，以正家风带动正党风，可以为中国共产党人乃至社会大众的家庭教育提供示范，也可以为在新时代新征程上的中国共产党人筑牢思想信念的根基提供强大精神动力。

立足于此，本书面向广大党员干部和社会大众，着眼中国共产党人优秀家风，立足家教家训事迹，力图呈现建党近百年来我国优秀共产党人在长期革命实践、社会主义建设和改革开放历史进程中形成的优良家风传统。全书着眼优秀家风，侧重选择生前在家风方面有突出声誉，家风事迹丰富生动、家规家教鲜明有特色的中国共产党人，既包括老一辈党和国家领导人，也包括社会主义建设时期和改革开放时期的优秀共产党员，基本覆盖了百年来党的历史。其中，第一章至第八章为党和国家领导人，按担任职务和任职时间排序为毛泽东、刘少奇、周恩来、朱德、邓小平、陈云、彭真、任弼时。第九章、第十章是中国人民解放军将帅，按军衔排序为陈毅、黄克诚。第十一章至第十五章是德高望重的老一辈无产阶级革命家，按出生年月排序为徐特立、吴玉章、谢觉哉、董必武、方志敏。第十六章至第二十章是中国共产党员的优秀代表人物，按出生年月排序为钱学森、谷文昌、焦裕禄、杨善洲、郑培民。

本书致力于呈现中国共产党人的家风特色。每章以醒目的标题，概括人物家风的整体风貌，提纲挈领地介绍人物生平、家庭环境、家风传承等内容。正文部分重点在于分别梳理人物鲜明有特色的家风条目，通过生动鲜活的家风故事，质朴深刻的家训，着力体现中国共产党人志向远大、终身学习，艰苦朴素、勤劳节俭，律己修身、不搞特殊以及爱党爱国、信念坚定等宝贵品质。在行文风格方面，避免枯燥乏味的写作形式，力求语言自然、流畅、鲜活，在事例与故事中将道理娓娓道来，以增强可读性和趣味性。我们期待为当下党员干部和社会大众提供家风家教的良好范本，愿对继承和发展家风文化作出一些积极努力。

本书是集众人之力的成果，中共中央党校党史教研部主任罗平汉教授主持编写，负责全书的总体设计、内容审核与把关；多名青年学者参与共同整理和执笔，具体分工如下：梁华玮负责第一章至第五章，贾学义负责第六章、第七章、第十章、第十八章，魏云豹负责第八章、第十一章至第十四章，陈华伟负责第九章、第十五章至第十七章，孙学毅负责第十九章和第二十章。由于本书题材的特殊性，在编写过程中，本书还吸收了不少专家、学者的研究成果，参考了不少文章，鉴于本书为普及性通俗读本，有关参考资料未作详细标注，也未及联系相关责任人，敬请谅解。由于时间仓促、篇幅限制和水平有限，加之中国共产党人的杰出代表众多，红色家风文化涵盖面广，家风故事数不胜数，虽然我们倾注了较大心力，但仍会出现这样那样的不足，敬请方家和读者批评指正。

在新时代新征程中，治家绝不只是共产党人的私事和家务事，而是正党风促政风带民风的重要表率。我们希望借由此书，传承好红色家风，让“育家风”融入日常，将“好家风”拓展延伸，让“学家风”成为自觉。

编者

2019年6月